누구나 쉽게 읽고
자신있게 말할 수 있는
상식

아트메세나의
서양미술사
첫걸음

아트메세나의 서양미술사 첫걸음

누구나 쉽게 읽고 자신있게 말할 수 있는 상식

발 행 | 2024년 8월 1일
저 자 | 배세나 (아트메세나)
펴낸이 | 한건희
펴낸곳 | 주식회사 부크크
출판사등록 | 2014.07.15.(제2014-16호)
주 소 | 서울특별시 금천구 가산디지털1로 119 SK트윈타워 A동 305호
전 화 | 1670-8316
이메일 | info@bookk.co.kr

ISBN | 979-11-410-9767-7

www.bookk.co.kr

아트메세나의

서양미술사 첫걸음

누구나 쉽게 읽고 자신있게 말할 수 있는 상식

배세나 지음

레오나르도 다 빈치, <백합>,
종이에 분필과 잉크, 1473-75,
31.4x17.7cm, 개인소장.

CONTENT

3부 신고전주의, 낭만주의 - 이성과 감성의 대립

4부 사실주의, 자연주의 - 현실과 자연의 재발견

5부 인상주의 - 빛과 색채의 아름다움

6부 신인상주의, 후기인상주의 - 탈 인상주의

머리말

미술관 가서 아는 척 술술 말하고 싶나요?

이 책 하나면 어디에서든 그림에 대해 센스 있게 말할 수 있습니다.
『아트메세나의 서양미술사 첫걸음』은 미술 관련 전공자가 아니어도 누구나 쉽게 그림을 이해하고, 자신 있게 말할 수 있도록 고안된 서양미술사 기본 안내서입니다. 이 책 1권만 읽으면 서양미술사 핵심인 르네상스부터 후기인상주의 화가 고흐, 고갱, 세잔까지 단숨에 통달할 수 있습니다.

도슨트 아티스트 아트메세나입니다.

안녕하세요, 도슨트 아티스트 아트메세나입니다.
제 직업은 그림을 이야기 하는 도슨트 이자, 그림을 그리는 화가입니다. 도슨트는 2007년부터 2019년까지 서울대 미술관, 소마 미술관, 현대백화점 갤러리 등에서 했습니다. 또한 국립현대미술관, 서울대 박물관, 디자인 올림픽의 작품관리원으로 활동하며 다양한 연령대의 수많은 관람객들을 직접 만났습니다.

여러분은 미술관에서 무슨 생각, 어떤 행동을 하세요?

전시장 입구를 들어오는 사람들에게는 한 가지 공통점이 있습니다. 바로 기대와 설렘이 가득한 눈빛을 한다는 점입니다. 전시실에 입장한 사람들은 호기심 어린 눈으로 전시 공간을 크게 한 번 훑어봅니다. 그리고 흥미진진한 눈빛을 계속 할 것인지 아니면 심각한 표정으로 감상할 것인지를 직관적으로 판단합니다.

물론 아직 전시에 대한 기대를 저버리지 않았습니다. 관람객이 많아 줄을 서야 하는 상황이면 사람들의 이동 흐름에 몸을 맡기며 전시를 감상하고, 관람객 수가 적을 때에는 조금 더 편한 자세를 취하며 특정 작품에 오래 머물렀다가 뒤로 물러났다가를 반복합니다. 가족 동반이나 친구들과 함께 온 경우 작품을 보고 서로 느낀 점을 한마디씩 건네기도 합니다. 그리고 혹시나 작품에 관해 물어볼 누군가가 있는지 주위를 두리번거리기 시작합니다.

제가 주목하는 부분은 관람객이 누군가를 찾는 그 순간입니다. 자신의 질문에 대답해줄 누군가가 없을 때 사람들은 빠르게 흥미를 잃고 아쉬운 표정으로 남은 작품들을 대강 감상한 후 유유히 밖으로 빠져 나갑니다. 반대로 제가 먼저 다가가 인사하면, 사람들은 반가운 얼굴로 제게 작품의 뜻을 묻거나 도슨트 해설을 어떻게 들을 수 있는지 문의합니다.

작품관리원은 전시 작품에 대한 기본 정보를 교육 받은 사람입니다. 그래서 관객이 작품 뜻을 물을 때 자신 있게 설명할 수 있습니다. 미술관을 지키는 작품관리원의 역할이 전시실에서 빛나는 순간입니다.

도슨트는 전시 투어 시간에 맞춰 관람객에게 전시 목적과 작품 해설 및 미술관 정보를 전달하는 임무를 수행합니다. 저는 도슨트 할 때 항상 저만의 루틴이 있었습니다. 해설을 마치면 대부분의 도슨트는 서둘러 자리를 떠나지만, 저는 관람객에게 의견이나 감상평을 꼭 물었습니다. **관람객과 소통하는 저만의 노력 루틴은 결과적으로 일반인의 입장을 더 이해하고 그들의 관점에서 그림 내용을 설명할 수 있게 하는 저만의 노하우를 만들어주었습니다.** 그리고 이제 그 노하우를 미술관에서뿐만 아니라 책으로 나눌 수 있게 되었습니다.

누구나 쉽게 읽고 자신있게 말할 수 있는 서양미술사

"서양미술사 핵심을 알고 싶은데 입문서로 괜찮은 책 있을까요?"

"미술관 가서 그림 보는 걸 좋아해요. 그런데 미술사 지식은 없어서요. 초보자에게 알맞은 미술 교양 책이 있으면 추천해주세요."

도슨트 하며 제가 가장 많이 들었던 질문입니다. 그리고 이내 깨달았습니다. 시중에 나온 다양한 서양미술사 책들 중에 일반인을 만족시키는 서양미술사 기본도서가 충분하지 않다는 사실을요. 그동안 출간되었던 서양미술사 책들은 대부분 미술관련 전공자를 대상으로 한 심도 있는 인문학 도서였습니다. 미술을 전혀 모르는 사람들이 접근하기에는 난해합니다.

그래서 저는 보다 많은 사람들이 서양미술사 전체 흐름을 쉽게 이해하고, 미술 상식을 자랑스럽게 말할 수 있는 책을 출간하기로 했습니다.

책 출간에 앞서 아트메세나 미술관 블로그를 개설하여 서양미술사 그림이야기를 포스팅 했습니다. 제가 블로그에 서양미술사 글을 올린 이유는 일반인들이 특정 미술사조와 화가의 그림을 어떻게 이해하고 생각하는 지에 대한 반응이 궁금해서였습니다. 감사하게도 훌륭한 이웃님들을 만나 제가 원했던 피드백을 듬뿍 받았습니다. 그들의 감상평과 의견을 통해 일반인이 서양미술사를 이해하는 정도와 접근 방향을 분명하게 알 수 있었습니다.

이 책은 실제로 미술관 현장 경험과 온라인 도슨트 활동으로 얻은 저만의 노하우, 즉 일반인이 가장 쉽게 미술을 이해하는 방법인 화가의 관점에서 그림과 미술사를 설명합니다. 『아트메세나의 서양미술사 첫걸음』 책을 읽으면, 누구나 서양미술사를 쉽게 이해하고 미술관에 전시된 그림에 대해 자신 있게 말할 수 있습니다.

아는 그림 보면 반갑지 않나요?
이제는 그림 보고 술술 말하게 될 것입니다!

2024년 7월
아트메세나

"고전의 부활, 다시 태어나다."

- 르네상스 -

1부 르네상스 - 예술의 부활

[르네상스 새로운 회화 기법 4가지]
1. 유화의 발견
2. 원근법
3. 명암법
4. 삼각형 구도

1장 르네상스 뜻, 새로운 회화 기법 4가지

르네상스란?

르네상스(Renaissance)는 14세기에서 16세기까지 유럽에 등장한 문예 부흥운동, 문화혁신운동입니다. 르네상스 뜻은 '고전의 부활', '다시 태어 나다' 입니다.

르네상스 미술은 중세와 근대를 이어주는 중요한 미술 양식입니다. 중 세 시대 미술은 예술가의 창작 활동보다 종교화 제작에 초점이 맞추어져 있었고, 그림도 성경과 교리를 주제로 한 이콘(icon) 형상이 주를 이루었 습니다. 따라서 중세 시대 침체된 미술을 부흥시키려는 예술가들의 노력 과 고대 그리스 로마 시대의 역사와 신화 등 종교 외의 주제를 다시 추 구하려는 휴머니즘 사상에 입각한 일련의 움직임들이 1400년 경 이탈리 아 피렌체 에서 시작되었습니다.

부유한 상업도시 피렌체는 많은 예술가들의 집결지였습니다. 당대 예술가들은 피렌체에서 인체와 자연을 과학적으로 탐구하였고 사실적인 형태로 그림을 표현하는 등 새로운 미술 양식을 추구하였습니다. 그 결과 르네상스 미술은 과거에 없던 새로운 회화 기법 4가지를 발견하여 예술가의 지위를 향상시키는 데 크게 기여하였습니다.

새로운 회화 기법 4가지

르네상스의 새로운 회화 기법 4가지는 유화의 발견, 원근법, 명암법, 삼각형 구도입니다.

1. 유화 : 유화 물감의 발명은 르네상스 미술의 가장 혁신적인 발견 입니다. 기름에 갠 물감으로 나무와 면직물에 그리는 유화는 예술가의 그림 보존에 일조했습니다.

과거 미술은 회반죽 된 벽 위에 그리는 프레스코화 및 나무판에 그리는 템페라화만 있었습니다. 템페라와 프레스코화는 습기와 온도, 세월의 흐름에 따라 균열이 일어나는 문제가 있었으나, 유화의 등장으로 보다 오랜 기간 그림을 보존할 수 있게 된 것입니다.

반 에이크(Van Eyck) 형제 (형 후베르트, 동생 얀)에 의해 발견된 유화는 회화의 발전에 큰 기여를 했습니다.

유화는 기름진 물감이기에 천천히 마르는 특징이 있습니다. 템페라 물감은 빨리 마르는 속성이 있어서 부드러운 질감을 나타내는 것이 어려웠던 반면에, 유화 물감은 옷의 구김과 인물의 피부를 섬세하게 표현할 수 있게 되었습니다. 이 획기적인 유화의 발명으로 화가는 다양하면서도 정교한 작품을 그릴 수 있게 됩니다.

[그림 1] 얀 반 에이크, <붉은 터번을 두른 사나이>, 1433, 나무에 유채, 33.3 x 25.8 cm, 영국 런던 내셔널갤러리 소장.

2. 원근법 : 평면 위에 공간감과 거리감을 표현하는 '원근법'은 20세기 현대미술이 등장하기 전까지 약 500년 동안 서양의 전통적인 미술 기법의 기초가 되었습니다. 특히 '선 원근법(Linear Perspective)'은 한 점 (소실점)을 향해 뻗어나간 선들에 의해 그림의 인물과 풍경이 뒤로 물러나게 보이는 거리적 차이 시각 효과를 주는 방법으로써 르네상스 시대 많은 예술가들이 이 기법을 활용하였습니다. **[그림 2]**

[그림 2] 라파엘로, <아테네 학당>, 1510-11, 프레스코화, 500 x 770 cm, 이탈리아 로마 바티칸 박물관 소장.

▶ <아테네 학당>(1510-11) **[그림 2]**는 계단과 바닥 문양의 선들이 길이와 크기가 점진적으로 줄어든다는 점에서 선 원근법이 사용되었음을 알 수 있습니다.

　고대 그리스의 철학자인 플라톤과 아리스토텔레스 (그림 가운데 서 있는 중심 두 인물), 소크라테스 (가운데 왼쪽 부분 황갈색 옷을 입고 푸른 옷을 입은 사람에게 이야기 하며 옆모습으로 서 있는 인물) 등을 형상화 한 <아테네 학당>은 그림의 주제와 제목에서 알 수 있듯이 고전 그리스의 부활을 뜻하는 르네상스 이념을 대표하는 작품입니다.

　그림 가운데 왼쪽 인물은 플라톤을 상징하는데, 플라톤은 손가락을 위로 향한 자세를 취하며 이데아(Idea)를 강조했고, 오른쪽 아리스토텔레스는 손바닥을 아래로 내린 자세를 하며 현실 세계를 가치 있게 생각하는 철학 이념을 보여주고 있습니다. 하단의 계단 왼쪽 책을 읽고 있는 인물은 피타고라스이고, 계단 가운데 글씨를 쓰며 턱을 괸 자세를 한 사람은 헤라클레이토스입니다.

3. 명암법 : 이탈리아어로 **명암**이라는 뜻의 '키아로스쿠로 (Chiaroscuro)'는 덩어리, 입체감을 나타내는 미술 기법 입니다. 그림에서 어두운 곳은 더 어둡게 그리고 밝은 부분의 색 단계를 점진적으로 표현함으로써 평면적인 그림이 튀어나오는 것 같은 시각적 효과를 줍니다.

▶ 인물 형상을 부드럽고 따뜻한 색채로 표현한 라파엘로는 <대공의 성모>(1504-05) **[그림 3]**에서 성모와 아기예수의 윤곽선을 어두운 배경 공간 속으로 사라지게 하고 인체의 명암 단계를 세부적으로 나눠서 채색하였습니다. 밝고 어두움의 명암 대조는 그림이 입체적으로 튀어나오는 효과를 부각시키고 있습니다.

[그림 3] 라파엘로, **<대공의 성모>**, 1504-05, 패널에 유채, 84 x 55 cm, 이탈리아 피렌체 피티 궁전 소장.

4. 삼각형 구도 : 삼각형 구도는 그림에서 가장 전형적으로 사용되는 구도 입니다. 관람자로 하여금 삼각형의 뾰족한 윗부분을 향해 시선이 가도록 유도하는 효과가 있으며, 전체적으로 안정적이고 편안한 분위기의 인물을 그리고 싶을 때 많이 활용됩니다. **[그림 4]**

▶ 레오나르도 다 빈치 <모나리자>(1503-06) **[그림 4]**는 전형적인 삼각형 구도의 그림 입니다. 삼각형 구도 위에 해당하는 모나리자의 얼굴로 시선이 제일 먼저 가며, 어깨와 손의 위치는 삼각형의 형태로 형

상화 되어 안정적인 느낌을 줍니다. 또한 배경 공간의 생략된 표현과 뿌연 안개 같은 신비로운 풍경 표현인 '스푸마토(Sfumato)' 기법은 인물과의 거리감, 공간감을 높이는 효과가 있습니다.

[그림 4] 레오나르도 다 빈치, < 모나리자>, 1503-06, 나무 패널에 유채, 77 x 53 cm, 프랑스 파리 루브르 박물관 소장.

"보티첼리",
메디치 가문이 사랑한 화가

2장 초기 르네상스 - 산드로 보티첼리

산드로 보티첼리

Sandro   Botticelli
(1445-1510), Italian.

산드로 보티첼리(Sandro Botticelli, 1445.3.1-1510.5.17)는 초기 르네상스 미술을 대표하는 예술가입니다. 보티첼리는 이탈리아 피렌체 메디치(Mesici) 가문의 후원을 받았습니다. 당시 유럽은 도시 가문들의 정치 경제적 갈등이 있었고, 세력 과시를 위한 초상화 및 역사화 주문 제작이 유행하였습니다. 피렌체의 부유한 은행가 집안 메디치 가문은 미술품 후원의 대표적인 예에 해당합니다.

가죽 장인의 아들로 태어난 보티첼리는 1464년, 당시 19세에 화가 프라 필립포 리피(Fra Filippo Lippi, 1406-69)에게 미술을 배웠습니다.

보티첼리 그림의 주된 주제는 신화 및 기독교 입니다. 또한 메디치 가문 초상화를 제작하거나 (**[그림 5]**, **[그림 6]**), 관련 인물을 종교화와 혼합하여 상징적으로 표현했습니다. **[그림 7]**

[그림 5] 보티첼리, <코시모 메달을 든 남자의 초상>, 1474, 나무에 템페라, 57.5 x 44 cm, 이탈리아 피렌체 우피치 미술관 소장.

[그림 6] 보티첼리, <줄리아노 데 메디치>, 1478, 패널에 템페라, 54 x 36 cm, 독일 베를린 국립 회화관 소장.

▶ <코시모 메달을 든 남자의 초상>(1474) **[그림 5]**에서 황금 메달을 들고 당당한 표정을 짓고 있는 청년은 피렌체를 대표하는 메디치 가문의 코시모 손자 로렌초(Lorenzo)입니다. 1469년 20세의 로렌초는 아버지 피에로(Piero)가 사망하자, 젊은 나이에 가문의 실세가 되었습니다.

▶ <줄리아노 데 메디치>(1478) **[그림 6]**은 로렌초의 동생 줄리아노 초상화 입니다. 보티첼리는 메디치 가문의 위엄을 알리고 역사에 기록하는 의미에서 메디치가의 주문을 받고 수많은 초상화를 그렸습니다.

[그림 7] 보티첼리, <동방박사의 경배>, 1475-76, 나무에 템페라, 134 x 111 cm, 이탈리아 피렌체 우피치 미술관 소장.

▶ 후원자 델 라마(Del Lama) 이름을 붙여 <델 라마의 경배(Del Lama Adoration)>라고도 불리는 <동방박사의 경배>(1475-76) **[그림 7]**은 종교화 주제를 현존 인물의 모습으로 형상화했다는 점에서 상당히 흥미롭습니다.

그림 가운데 아기 예수를 받으려고 앉아 있는 검은 옷의 인물은 메디치가의 코시모(Cosimo il Vecchio)입니다. 그 아래 붉은 망토를 두른 사람은 코시모의 아들 피에로(Piero)이며, 바로 오른쪽은 또 다른 아들 조반니(Giovanni) 입니다. 또한 그림의 가장 왼쪽 붉은 옷을 입고 서 있는 인물은 코시모의 손자 로렌초 이고, 옆에는 메디치 궁정의 인문학자 피코 델라 미란돌라(Giovanni Pico della Mirandola)와 폴리치아노(Angelo Poliziano)가 함께 있습니다.

그림 오른쪽 중간에 흰 머리를 하고 관람자인 우리를 향해 서 있는 푸른색 옷의 인물은 산타마리아 노벨라 성당에 이 그림을 기증한 델 라마(Guasparre di Zanobi del Lama)이며, 오른쪽 가장 끝 아래 노란 옷을 입고 우리를 바라보는 사람은 산드로 보티첼리 화가 본인입니다.

▶ <봄>(1478-82) [그림 8]은 <비너스의 탄생>(1483-85) [그림 9]와 함께 보티첼리의 가장 대표적인 그림 입니다. <봄>은 1482년 로렌초의 결혼을 기념하기 위해 주문제작 되었을 것으로 추정합니다. 그림 중앙의 비너스는 고대 그리스 로마 이후로 최초로 사람 실물 크기에 가깝게 그려져 있으며, 하늘에 있는 큐피드는 사랑과 행복을 상징합니다. 생명의 잉태와 한해의 시작이라는 긍정적인 의미로서의 '봄' 제목이 당대의 메디치 가문의 풍요로움과 안정적인 정서를 반영한다고 볼 수 있습니다. 그림 오른쪽에는 바람의 신 제피로스(Zephyrus)와 봄꽃 님프 클로리스(Chloris)가 있으며, 왼쪽 끝에는 전령의 신 (봄이 오는 소식을 전하는) 헤르메스가 날개 달린 신발을 신은 모습으로 형상화 되어 있습니다.

[그림 8] 보티첼리, <봄>, 1478-82, 패널에 템페라, 314 x 203 cm, 이탈리아 피렌체 우피치 미술관 소장.

▶ <비너스의 탄생>(1483-85) **[그림 9]**에서 중심에 있는 비너스는 고대 그리스 고전기와 헬레니즘 시대에서 많이 볼 수 있는 '콘트라포스토 (Contrapposto)' 자세를 취하고 있습니다. 조각적인 모델링과 손으로 몸을 가리는 모습 또한 고대 그리스 로마 시대의 전형적인 조각을 참고한 것 입니다. 이 그림은 보티첼리가 주로 그렸던 신화를 주제로 하면서도 고전 의 부활을 추구했던 당대의 르네상스 이념을 가장 잘 보여주는 대표적인 작품입니다.

* '콘트라포스토'는 한 쪽 발에 무게 중심을 실어 비대칭으로 서 있는 모습을 뜻합니다.

[그림 9] 보티첼리, <비너스의 탄생>, 1483-85, 캔버스에 템페라,
172.5 x 278.9 cm, 이탈리아 피렌체 우피치 미술관 소장.

▶ 1492년 로렌초가 사망하고 1494년 프랑스 샤를8세가 피렌체를 침공했습니다. 내외부적으로 기강을 잃은 메디치 가문에 반발하는 세력들이 확대되면서 결국 1495년 메디치가는 피렌체에서 추방됩니다. 이러한 사회적 분위기 속에 제작된 **<성도들과 함께 죽은 그리스도를 애도함>**(1490-95) **[그림 10]** 작품은 보티첼리가 말기에 그린 것으로 이전과는 다른 격정적인 감정이 표출된 특징이 있습니다.

그림 속 인물들은 전체적으로 공간의 여유 없이 빽빽하게 붙어 있으며, 망연자실한 표정의 인물들로 인해 불안과 긴장감이 고조됩니다. 그림 가운데 죽은 그리스도를 본 마리아가 혼절해 있고, 요한이 그녀를 부축하고 있으며, 요한 위쪽에는 요셉이 가시면류관을 들고 비통한 표정으로 하늘을 응시합니다. 그림의 왼쪽 아래에는 막달라 마리아가 그리스도의 발을 안고 있습니다.

15세기 말은 레오나르도 다 빈치와 미켈란젤로 등의 젊은 예술가들이 르네상스 미술을 발전시키며 급부상 하던 시기였습니다. 당시 보티첼리가 느꼈을 말년의 불안과 걱정이 그의 작품에 투영되었음을 충분히 짐작할 수 있을 것입니다.

지금까지 산드로 보티첼리의 화가로서의 삶과 대표 작품들을 살펴봤습니다. 초기 르네상스 미술을 이해하는 데 도움이 되셨을까요?

[그림 10] <성도들과 함께 죽은 그리스도를 애도함>,1490-95, 캔버스에 유화 및 템페라, 107 x 71 cm, 이탈리아 밀라노 폴디 페촐디 박물관 소장.

융합형 천재 화가,
"레오나르도 다 빈치"

3장 전성기 르네상스

Leonardo di ser Piero da Vinci (1452-1519), Italian.

레오나르도 다 빈치

레오나르도 다 빈치 (본명 레오나르도 디 세르 피에로 다 빈치 : Leonardo di ser Piero da Vinci, 1452.4.15-1519.5.2)는 전성기 르네상스를 대표하는 이탈리아의 화가이자 조각가, 건축가, 해부학자 입니다. 서양 미술의 역사상 가장 위대한 융합형 인재로 평가받고 있으며, 그의 대표 작품 <모나리자>(1503-06) **[그림 4]**는 전 세계적으로 가장 유명한 그림 중 하나입니다.

레오나르도 다 빈치는 토스카나 지방의 산골 마을 빈치(Vinci)에서 태어났습니다. 빈치는 이탈리아의 중심 도시 피렌체에서 서쪽으로 약 25km 떨어져 있습니다. 그는 법률가들을 배출한 지주 가문 출신의 아버지 피에로 다 빈치(Piero da Vinci)와 어머니 카타리나 사이에서 태어난 사생아

입니다. 카타리나는 가난한 형편으로 피에로 다 빈치와 결혼하지 못했습니다. 결국 레오나르도 다 빈치가 태어난 1452년, 그의 아버지 피에로는 부유한 상인의 딸 알비에라와, 그리고 생모 카타리나는 농부와 각각 결혼을 했습니다.

당시 피렌체에서는 지위와 신분의 차이가 엄격했고, 사생아에 대한 차별 인식이 만연했습니다. 따라서 레오나르도는 학교에서 읽고 쓰기 등의 언어 교육을 제대로 받지 못했고, 의사, 법률가 등의 직업도 선택할 수 없었습니다. 이러한 어려움 속에 레오나르도는 스스로 모국어 이탈리아어를 깨우쳤고, 마흔이 넘은 나이에 귀족층과 지식인들이 쓰는 라틴어를 공부하였으며, 다양한 과학 저서를 읽고 그림으로 습작 및 기록화 했습니다.

레오나르도 다 빈치가 스승 베로키오를 만나게 된 건 우연한 만남에 의해서였습니다. 레오나르도가 12세이던 1464년, 어머니 알비에라는 그의 동생을 낳으려다가 사망했고, 그의 부친 피에로는 슬픔을 극복하기 위해 그의 사무실이 있는 피렌체로 아들 레오나르도를 자주 초대했습니다.

당시 공증인이었던 피에로는 그의 고객인 베로키오가 공방 운영관련 문서를 작성하러 집무실에 방문하던 중 우연히 레오나르도를 만납니다. 레오나르도는 종이에 끊임없이 습작을 하고 있었는데, 그의 그림을 본 베로키오는 레오나르도의 재능을 단번에 알아보고 제자로 삼게 됩니다. 이로써 레오나르도 다 빈치는 훌륭한 스승 베로키오 밑에서 본격적으로 미술의 기법을 배우며 예술가로서 성장할 수 있었습니다.

[그림 11] 레오나르도 다 빈치, <수태고지>, 1472, 패널에 유채 및
나무에 템페라, 98 x 217 cm, 이탈리아 우피치 미술관 소장.

▶ <수태고지>(1472) [그림 11]은 레오나르도 다 빈치가 당대의 유
명한 화가였던 안드레아 델 베로키오 밑에서 정식으로 미술을 배운
후 그린 첫 유화 작품 입니다. 그림에서 천사와 마리아의 옷에 표현된
풍부한 색감과 입체적인 양감 및 원근감은 르네상스의 중요한 미술
기법 (유화 물감의 사용, 원근법 적용, 명암 표현)을 단적으로 보여주
고 있습니다.

[그림 12] 레오나르도 다 빈치, <지네브라 벤치의 초상>, 1474, 나무에 유채, 42 x 37 cm, 미국 워싱턴 D.C.국립미술관 소장.

▶ <지네브라 벤치의 초상>(1474) [그림 12]는 지네브라 가문의 딸을 그린 그림입니다. 지네브라 데 벤치는 당시 큰 세력이었던 메디치 가문과 동맹관계인 부유한 은행 가문입니다. 초기 르네상스 대표화가 보티첼리처럼 레오나르도 다 빈치도 귀족 세력의 적극적인 미술 후원에 의한 주문 제작으로 초상화를 그렸습니다.

이 그림의 흥미로운 점은 귀족 딸의 모습이 상반신에서 과감하게 잘려져 있다는 것입니다. 주문 제작인 만큼 공을 들인 섬세한 묘사 흔적은 감탄할 만하지만 가슴 밑으로 잘린 구도로 인해 전체적인 그림의 구도가 답답해 보이고 어색한 인상을 줍니다.

이 그림에 대해 여러 논란이 있지만 유력한 설 중 하나는 <모나리자> 작품처럼 이 그림도 원래 손아래 까지 그려졌으나, 마감 기한에 완성하지 못하여 의도적으로 그림을 자를 수밖에 없었다는 내용입니다.

[그림 13] 레오나르도 다 빈치, <손 연구>, 1474, 종이에 메탈포인트 (실버포인트), 21.4 x 15 cm, 개인 소장.

▶ <지네브라 벤치의 초상>(1474) [그림 12]에 원래 그려져 있었을 것으로 추측하는 손 형태 그림 입니다. <손 연구>(1474) [그림 13]은 나중에 <모나리자>의 손 자세를 그리는 데 기초가 됩니다.

그럼 왜 레오나르도는 완성하지 못했을까요?

레오나르도 다 빈치가 <지네브라 벤치의 초상> 그림 손을 완성하지 못한 까닭에 대해 여러 추측이 난무하는 가운데, 그가 베로키오에게 그림을 배운지 얼마 안 되어 아직 완벽한 미술 실력이 아니었기 때문이라는 미술사학자들의 의견이 많습니다.

일반인들이 볼 때 레오나르도 다 빈치의 초기 그림 1470년대의 작품들은 매우 잘 그려 보이지만, 전문 예술가들은 레오나르도의 그림에서 시점의 불일치와 미숙한 나무 풍경 처리 등을 지적합니다.

이처럼 초기에 부족함이 있었던 레오나르도는 그의 끊임없는 드로잉 시도와 미술에 대한 열정으로 인해 미술 실력이 크게 향상되어 15세기 말에서 16세기 초 회화의 최고 경지에 이르게 됩니다. 이 시기를 전성기 르네상스라고 부릅니다.

▶ <담비를 안고 있는 여인>

(1489-90) **[그림 14]**는 <모나리자>
[그림 4], <최후의 만찬> **[그림 15]**
와 더불어 레오나르도 다 빈치의 3
대 걸작으로 평가받고 있습니다.

이 그림은 어두운 배경 속으로 인
물의 윤곽선이 사라지고 중심인물이
빛에 의해 입체적으로 튀어나올 것
같이 밝게 표현되어 있습니다. 이 작
품이 흥미로운 이유는 그림 속 여인
의 시선이 관람자를 향한 정면이 아
닌 화면 밖 어딘가를 향해 응시하고
있기 때문입니다. 여인의 자세 또한
경직된 정지 상태가 아니라 움직이는
형상으로 표현되어 있습니다.

[그림 14] 레오나르도 다 빈치, <담비를 안고
있는 여인 (세실리아 갈레라니의 초상)>,
1489-90, 패널에 유채, 54.8 x 40.3 cm, 폴
란드 크라쿠프 차르토리스키 미술관 소장.

그동안 대부분의 초상화는 인물이
무표정한 얼굴로 경직된 정면 자세를 취했습니다. 그러나 이 작품은 주인
공의 시선이 밖을 향하고 있어서 열린 작품, 즉 상상의 다른 공간으로 초
대하는 혁신적인 그림이라고 볼 수 있습니다. 이 초상화는 후대의 여러
미술 사조에 영향을 주어 생명력 있는 그림들을 탄생시키는 데 기여했습
니다.

[그림 15] 레오나르도 다 빈치, <최후의 만찬>, 1495, 석고, 템페라, 460 x 880 cm, 이탈리아 밀라노 산타마리아 델레 그라치에 성당 소장.

▶ <최후의 만찬>(1495) [그림 15]는 성경의 한 장면 ("너희들 중에 하나는 나를 배신할 것이다.") 이야기를 형상화한 그림 입니다. 가운데 그리스도를 중심으로 왼편에 세례자 요한이 슬픔에 잠겨 있고, 요한의 바로 옆에는 울분을 참지 못하고 칼을 쥔 베드로가 있으며, 베드로에게 밀려 몸이 그리스도의 반대편으로 물러난 배신자 유다는 당황한 표정 입니다. 놀란 듯 열손가락을 펴고 손바닥을 보여주는 제자는 안드레아이며, 유다의 형 야고보와 바르톨레메오가 있습니다.

그리스도의 오른쪽에는 놀란 듯 양팔을 벌린 야고보와 집게손가락을 위로 향한 자세를 하고 있는 의심 많은 도마, 그 옆 빌립은 결백을 주장하고 있으며, 마태와 유다 (다대오), 시몬이 차례대로 앉아 있습니다.

[그림 16] 레오나르도 다 빈치, <성 안나와 함께 있는 성모와 아기 예수>, 1503-19, 패널에 유채, 168 x 112 cm, 프랑스 파리 루브르 박물관 소장.

▶ <성 안나와 함께 있는 성모와 아기 예수>(1503-19) **[그림 16]**은 레오나르도 다 빈치의 어머니에 대한 심리를 반영한 작품 입니다. 그림에서 중심에 있는 성모마리아는 아기 예수를 안고 있고, 성 안나는 성모의 뒤에 가려져 아기 예수를 바라보는 모습으로 그려져 있습니다.

성모와 아기예수의 거리에 비해 성 안나와 아기 예수는 비교적 멀리 떨어져 있는데, 이는 레오나르도의 두 어머니에 대한 심리적 거리감을 나타내는 것입니다.

이 그림에서 아기 예수는 레오나르도 다 빈치, 성모는 알비에라, 성 안나는 생모 카타리나를 상징합니다. 실제로 레오나르도는 어린 시절 생모와 이별하고 알비에라의 품에서 자랐기 때문에 알비에라와의 친밀감 및 그리움과 생모에 대한 막연한 그리움이 그의 내면에 있었을 것이라 추측합니다.

전성기 르네상스 3대 화가 중 첫 번째 레오나르도 다 빈치에 대해 알아봤어요. 여러분은 어떤 작품이 제일 마음에 드실까요?

예의 바르고, 온화한 성품의 화가,

"라파엘로 산치오"

Raffaello Sanzio da Urbino (1483-1520), Italian.

라파엘로 산치오

라파엘로 (본명 라파엘로 산치오 다 우르비노: Raffaello Sanzio da Urbino, 1483.4.6-1520.4.6)는 레오나르도 다 빈치, 미켈란젤로 부오나로티와 더불어 전성기 르네상스의 3대 거장 입니다.

그는 1483년 이탈리아 마르케 지방의 우르비노에서 태어났습니다. 화가이자 시인 아버지의 영향으로 어린 시절부터 그림을 자연스럽게 접할 수 있었고, 1502년 (19세) 예술의 도시 피렌체로 이주하여 본격적으로 미술을 공부하였습니다. 라파엘로의 스승은 피에트로 페루지노(Pietro Perugino, 1448-1523)입니다. 피에트로 페루지노는 레오나르도 다 빈치의 스승 안드레아 델 베로키오(Andrea del Verrocchio, 1435-88)의 제자이기도 합니다.

안드레아 델 베로키오 (스승) -
레오나르도 다 빈치 (제자)

안드레아 델 베로키오 (스승) -
피에트로 페루지노 (스승 / 제자) -
라파엘로 산치오 (제자)

[그림 17] 라파엘로, <자화상>, 1499, 종이에 분필, 38 x 26 cm, 영국 옥스퍼드 아쉬몰리안 박물관 소장.

▶ <자화상>(1499) [그림 17]은 16세의 라파엘로의 앳된 모습 입니다. 라파엘로는 예의바름과 성실, 겸손의 미덕을 모두 갖춘 화가였습니다. 자화상 스케치에서 라파엘로의 온화한 성품을 짐작할 수 있습니다.

[그림 18] 라파엘로, <수태고지>, 1502-03, 나무에 유채, 27 x 50 cm, 개인 소장.

▶ 레오나르도 다 빈치의 <수태고지>(1472) **[그림 11]**과 라파엘로의
<수태고지>(1502-03) **[그림 18]**을 비교해보세요. 라파엘로가 얼마나 선
원근법을 착실하게 구현하였고 인물과 풍경, 건축의 완벽한 조화가 돋보
이며, 따스한 색감을 풍부하게 사용했는지 알 수 있을 것입니다.

[그림 11] 레오나르도 다 빈치, <수태고지>, 1472.

라파엘로는 1514년에는 율리우스 2세의 후임 (1513년 사망) 교황 레오 10세에 의해 성 베드로 대성당의 건축책임자로 임명을 받습니다. 그리고 시스티나 예배당 하단의 태피스트리 제작을 맡게 됩니다. 그는 평균 크기 가로 3.5m, 세로 5m에 달하는 밑그림 10점을 총18개월에 걸쳐 직접 채색하고 완성했습니다.

[그림 19] 라파엘로, <시스티나 성모>, 1513, 캔버스에 유채, 269.5 x 201 cm, 독일 드레스덴 고전 거장 미술관 소장.

시스티나 성모>(1513) [그림 19]는 아래의 아기 천사의 생각하는 표정 [그림 20]으로 더 유명합니다.

[그림 20] 라파엘로, <시스티나 성모> 부분, 1513.

교황 율리우스 2세를 기념하기 위해 주문 제작된 <시스티나 성모>는 배경 공간이 구름과 안개로 자욱하여 허공에 붕 떠 있어서 긴장감을 자아내며, 성모와 아기 예수가 놀란 표정을 짓고 있어서 전형적인 종교화가 아님을 알 수 있습니다.

그림 왼쪽 교황 식스투스 1세는 성모자를 바라보고, 오른편 성녀는 아래의 아기 천사를 온화한 표정으로 내려다보면서 그림의 긴장감을 완화시키는 역할을 합니다.

라파엘로는 37세의 생일날 고열로 갑작스럽게 요절합니다. 라파엘로의 마지막 작품이자 미완성인 <그리스도의 변용>(1518-20) **[그림 21]**은 후에 그의 제자 로마노가 완성합니다.

타보르 산에서 있었던 예수 그리스도의 거룩한 변모를 소재로 한 이 작품은 크게 세 부분으로 나누어볼 수 있습니다.

첫째, 가장 윗부분은 그리스도와 모세, 엘리야가 있고,
둘째, 중간 부분에는 그리스도의 제자들이 경탄하는 모습,
셋째, 아랫부분은 세상 사람들의 고뇌하는 모습이 형상화 되어 있습니다.

[그림 21] 라파엘로, <그리스도의 변용>, 1518-20, 캔버스에 유채 및 템페라, 405 x 279.5 cm, 바티칸 박물관 소장.

라파엘로의 말기에는 인간의 감정 표출과 형태의 과장 및 기이함의 정서가 반영된 매너리즘 미술이 대두되기 시작합니다. 라파엘로는 이 작품에 상당 부분 매너리즘적인 요소를 표현하여 르네상스에서 매너리즘으로 가는 시대상을 반영했다고 볼 수 있습니다.

많은 예술가들과 교류를 유지하며 후대에 본보기가 되고 작품에 온 생을 다 바쳤던 라파엘로는 르네상스의 고전 정신을 가장 장 보여준 화가이며 전성기 르네상스와 매너리즘을 이어주는 다리 역할을 했다는 점에서 오늘날까지 그의 예술정신과 미술사적 가치를 높게 평가하고 있습니다.

66세에 최고의 걸작

<최후의 심판>을 그리다.

- 미켈란젤로 부오나로티 -

미켈란젤로 부오나로티

Michelangelo   Buonarroti
(1475-1564), Italian.

　미켈란젤로 (본명 미켈란젤로 디로도비코 부오나로티 시모니 : Michelangelo di Lodovico Buonarroti Simoni, 1475.3.6-1564.2.18)는 전성기 르네상스를 대표하는 이탈리아의 조각가, 화가, 건축가 입니다. 그는 인간의 고뇌와 함께 성서를 주제로 한 신앙 표현 등의 작품을 남겼습니다.

　미켈란젤로는 이탈리아 카센티노의 카프레세에서 태어났습니다. 아버지는 읍 행정관이었고 어머니는 그가 여섯 살 때 세상을 떠났습니다. 아버지는 미켈란젤로가 공부를 열심히 하여 몰락한 집안을 재건하기를 원했지만, 그림 그리기에 몰두한 아들의 고집을 꺾을 수 없었습니다.

　미켈란젤로는 **도메니코 기를란다요**(Domenico Ghirlandajo, 1449-1494)에게 13세경 그림을 배웠습니다. 스승 밑에서 배우다가 금세 싫증이 난 미켈란젤로는 피렌체 메디치 가문의 로렌초 데 메디치가 산마르코 성당 정원에서 가르치던 조각 학교에 입학하였습니다. 당시 미켈란젤로의 천부적인 미술 재능을 알아본 로렌초는 그를 양자로 삼으며 적극적으로 후원하였습니다.

* 도메니코 기를란다요는 초기 르네상스를 대표하는 피렌체 화가 입니다. 그의 대표 작품 <최후의 만찬>(1480) [그림 22]는 레오나르도 다 빈치의 <최후의 만찬>(1495) [그림 15]와 비교하는 예시로 서양미술사에서 많이 거론됩니다.

[그림 22] 도메니코 기를란다요, <최후의 만찬>, 1480, 프레스코화, 400 x 880 cm, 개인 소장.

[그림 15] 레오나르도 다 빈치, <최후의 만찬>, 1495, 석고, 템페라, 460 x 880 cm, 이탈리아 밀라노 산타마리아 델레 그라치에 성당 소장.

[그림 23] 미켈란젤로, <세례자 성 요한과 함께 있는 성가족 (도니 톤도)>, 1505-06, 지름 120 cm, 이탈리아 피렌체 우피치 미술관 소장.

▶ 미켈란젤로가 남긴 회화 중 단품으로 유일한 <세례자 성 요한과 함께 있는 성가족>(1505-06) **[그림 23]**은 지름 120cm의 원형 작품입니다. 아 뇰로 도니와 피렌체 가문 스트로치가의 막내 딸 막달레나 스트로치의 결 혼을 기념하기 위해 주문 제작된 그림입니다.

아뇰로 도니의 성 '도니 (Doni)'와 이탈리아어로 '원형'을 뜻하는 '톤도 (Tondo)'를 합하여 <도니 톤도(The Doni Tondo)> 라고도 불리는 <세례 자 성 요한과 함께 있는 성가족>은, 아기 예수와 요셉, 마리아가 주인공 이고, 배경 공간에 5명의 인물과 세례 요한이 있습니다. 세례 요한은 피 렌체의 수호성인으로서 당대의 성모자상 그림에 자주 등장하였습니다.

이 그림은 전경에 자리한 세 인물이 선명한 색채로 표현되었고, 후경에 위치한 사람들은 상대적으로 색감이 흐리고 형태가 불분명 하며, 푸른 배 경 공간은 추상화를 연상시키는 색채로 처리되었다는 점에서 당대의 새로 운 회화 기법인 원근법 및 공간표현법이 적용된 르네상스의 대표 작품에 해당됩니다.

또한 이 그림에 표현된 누드 형상은 시스티나 천장화의 다양한 누드를 그리는 기초 자료가 되었다는 점에서 미술사적인 의의가 있는 작품 입니 다.

[그림 24] 미켈란젤로, <시스티나 천장화>, 1508-12, 프레스코화,
13 x 36 m, 바티칸 시스티나 성당 소장.

▶ <시스티나 천장화>(1508-12) **[그림 24]**는 1508년 바티칸 사도 궁전의 시스티나 성당의 천장화를 위촉받고 4년 6개월에 걸쳐 완성한 거대한 규모의 작품 입니다. 미켈란젤로가 33세에서 37세까지 그린 이 작품은 젊은 시절 미술에 대한 열정과 끈기, 도전 정신 등을 모두 느끼게 하는 위대한 걸작입니다.

교황 율리우스 2세는 당시 미켈란젤로에게 둥근 모양의 천장에 그림을 그릴 것을 명하였습니다. 당시 미켈란젤로는 조각에서 두각을 나타냈으나 벽화 기법을 전혀 배우지 않은 상태였습니다. 미켈란젤로의 평전을 쓴 로맹 롤랑은 브라만테가 교황의 총애를 받는 미켈란젤로를 질투하고 그를 곤경에 빠뜨리기 위해 교황에게 미켈란젤로를 추천했다고 합니다.

미켈란젤로는 천장에 거꾸로 매달리거나 발판에 누워 장시간 허리를 구부린 채 그림을 그렸습니다. 허리가 끊어질 듯 극심한 고통 속에서도 벽화기법을 독학하고 밤낮을 설쳐가며 끊임없이 인체의 동세 표현 드로잉 연구를 한 결과, 마침내 시스티나 천장화를 완성했습니다.

이 작품은 전체적으로 약 300명이 형상화 되어 있습니다.
작품의 가운데 부분은 창세기의 아홉 가지 이야기로 구성되어 있습니다.

* 아홉 가지 이야기는 크게 세 부분으로 나뉩니다. 하느님의 천지 창조, 하느님의 인간 창조와 하느님 은혜 밖으로 타락한 인간, 마지막으로 노아와 그의 가족이 보여 주는 인간의 상태입니다.

[그림 25] 미켈란젤로, <아담의 창조>, 시스티나 천장화 부분, 1508-12, 프레스코화, 280 x 570 cm, 바티칸 시스티나 성당 소장.

[그림 26] 미켈란젤로, <그리스도의 조상 히스기야>, 시스티나 천장화 그림 부분, 1508-12, 프레스코화.

[그림 27] 미켈란젤로, 시스티나 성당 천장화 '이뉴도 (Ignudo)' 부분 상세 이미지

▶ <최후의 심판>(1537-41) **[그림 28]**은 시스티나 성당 내부 정면에 있는 대형 벽화입니다. 1533년 피렌체에서 메디치 묘의 작업을 하고 있던 미켈란젤로에게 교황 클레멘스 7세가 벽화를 제안하였습니다. 당시 여러 가문들로부터 제작 의뢰를 받아 작업의 양이 상당히 많았던 미켈란젤로는 벽화를 바로 그리지 못했으나, 1535년 클레멘스 7세의 뒤를 이어 즉위한 파울루스 3세의 촉구에 의해 <최후의 심판>을 본격적으로 그리게 됩니다. <천지창조>와 마찬가지로 무려 4년이라는 기간에 걸쳐 미켈란젤로는 놀라운 정신력과 희생정신을 바탕으로 <최후의 심판>을 완성합니다.

미켈란젤로는 외골수적인 기질로 인해 평생을 친구 없이 고독하게 작업실에서 보냈다고 합니다. <최후의 심판>을 작업할 당시 66세의 나이였으니 집념과 투지, 희생에서 비롯된 미켈란젤로의 예술가로서의 삶에 경탄할 수밖에 없을 것입니다.

지금까지 전성기 르네상스 3대 거장 레오나르도 다 빈치, 라파엘로, 미켈란젤로 작품을 살펴봤습니다. 이들의 공통점은 피렌체에서 활동했다는 점이에요. 다음에는 이탈리아 르네상스 미술의 새로운 중심지 베네치아로 이동합니다.

◀ [그림 28] 미켈란젤로, <최후의 심판>, 1537-41, 프레스코화, 1370 x 1220 cm, 바티칸 시스티나 성당 소장.

'피렌체'에서 시작되어
'베네치아'를 물들이다.

- 이탈리아 르네상스 -

4장 피렌체 르네상스 vs 베네치아 르네상스 - 조르조네

피렌체 르네상스 vs 베네치아 르네상스

이탈리아 피렌체 르네상스와 베네치아 르네상스는 도시가 다른 만큼 작품의 성향도 상이합니다.

이탈리아 전성기 르네상스	피렌체	베네치아
관심사	서사적 주제	그림의 분위기
주요표현	형태와 선	빛과 색채
인물과 배경공간의 관계	인물 > 배경 인물 > 자연풍경	인물 = 배경 인물 < 자연풍경
대표 예술가	레오나르도 다 빈치 라파엘로 미켈란젤로	조반니 벨리니 조르조네 티치아노

* 로마는 피렌체와 베네치아의 중간 화풍입니다.

16세기 이탈리아는 미술의 주도권이 피렌체에서 로마, 베네치아로 이동합니다. 왜냐하면 전성기 르네상스를 대표하는 3대 거장 레오나르도 다빈치, 라파엘로, 미켈란젤로가 로마에서 활동하는 시기이기 때문입니다. 앞의 표에서 소개하지 않은 로마는 피렌체와 베네치아의 중간 화풍으로 보시면 됩니다.

베네치아는 물의 도시 입니다. 따뜻한 태양빛이 물에 반짝이며 물안개와 신비로운 색채를 만듭니다. 아름다운 자연 환경은 예술가들에게도 영감을 주었습니다. 당대 유행하던 피렌체 르네상스 미술이 베네치아에도 소개되었고, 예술가들은 따스하고 부드러운 감성으로 베네치아 르네상스 미술을 구현했습니다.

베네치아는 캔버스 천에 유화 물감으로 그리는 채색 기법이 일찌감치 발달했습니다. 그 이유는 벽에 직접 그리는 프레스코화 및 나무 판에 그리는 템페라화는 베네치아의 습한 기후에 손상될 우려가 높았기 때문입니다. 캔버스 천에 그리는 유화는 천천히 마르는 특성이 있어서 부드러운 명암 표현과 영롱하게 반짝이는 색채 구현에 적합한 재료입니다. 르네상스 시대에 발명된 유화는 베네치아의 따뜻한 감성을 나타내는 데 탁월한 재료로써 베네치아 미술의 발전에 크게 기여했습니다.

이제 베네치아 르네상스 대표 화가 조르조네와 피렌체 르네상스를 대표하는 라파엘로 작품을 비교 대조하며 화풍의 특징을 살펴보겠습니다.

베네치아 르네상스 - 조르조네

▶ 조르조네 (조르지오네 바바렐리 Giorgio Barbarelii, 1478-1510)는 베네치아 르네상스 선구자 조반니 벨리니의 제자입니다. 그는 빛나는 색채와 풍부한 색감을 통해 베네치아 화풍을 구축했습니다. 조르조네의 아름다운 화풍은 티치아노에 의해 완성됩니다.

Giorgione   (1478-1510),
Italian

[그림 29] (좌) 라파엘로, <솔리 성모>, 1502, 보드에 유채, 52 x 38 cm, 독일 베를린 국립회화관 소장.
[그림 30] (우) 조르조네, <성모와 아기예수>, 1504, 캔버스에 유채, 44 x 36.5 cm, 러시아 상트페테르부르크 에르미타주 미술관 소장.

▶ 라파엘로 <솔리성모>(1502) **[그림 29]**가 피렌체 화풍이고 조르조네 <성모와 아기예수>(1504) **[그림 30]**은 베네치아 화풍입니다. 라파엘로 그림은 성모자가 중심이고 배경은 부수적인 공간으로 표현된 반면, 조르조네 그림은 배경 공간이 넓고 자연과 성모자의 조화가 돋보입니다.

표현 방식에 있어서도 차이가 있습니다. 라파엘로는 인물의 형태를 강조하고 입체적으로 표현하는 데 중점을 두었다면, 조르조네는 인물과 옷의 포근한 감촉을 강조하고 풍부한 색채로 나타냈다는 점에서 차이가 있습니다.

[그림 31] (좌) 라파엘로, <자화상>, 1506, 포플러 나무에 템페라, 이탈리아 피렌체 우피치 미술관 소장.
[그림 32] (우) 조르조네, <자화상>, 1510, 캔버스에 유채, 52 x 43 cm, 독일 브라운슈바이크 에르조그 안톤 울리히 박물관 소장.

▶ 조르조네 <자화상>(1510) **[그림 32]**는 라파엘로 <자화상>(1508) **[그림 31]**과 비교할 때 많이 거론됩니다. 라파엘로의 자화상은 인물이 중심이고 배경 공간은 부수적인 표현에 지나지 않는다면, 조르조네의 자화상은 인물이 나타났다가 공간속으로 사라지는 명암의 대조 표현에 의해 공기의 기류를 인식하게 합니다.

인물의 표정에 있어서도 라파엘로의 자화상은 온화한 분위기를 느낄 수 있지만 거의 무표정인 데 반해, 조르조네의 자화상은 인물의 감정 표현이 그대로 전달된다는 점에서 차이가 있습니다.

조르조네의 자화상은 우리에게 익숙한 네덜란드 바로크 화가 렘브란트의 자화상을 떠올리게 합니다. 조르조네의 화풍은 후대 바로크 미술의 격정적인 감정 표현 기법에 큰 영향을 주었습니다.

▶ <폭풍우>(1508) **[그림 33]**은 아이에게 젖을 먹이는 여인과 맞은편에 서 있는 남자와의 관계가 폭풍 전야의 긴장감을 야기하는 작품입니다. 두 인물에 대해 에덴동산에서 쫓겨난 아담과 이브라는 반응과, 장래에 영웅이 될 아이를 안고 피신하는 어머니가 목동을 만나 위기를 면하는 장면이라는 설이 있습니다.

수수께끼와 같은 베일에 싸인 두 인물을 양옆으로 한 채 그림의 중심에는 화면 가득 풍경과 구름 뒤로 번개가 번쩍이는 순간이 그려져 있습니다. 이 그림은 신비롭고 상상력을 더하는 조르조네의 독특한 작품으로서, 인물보다 자연 풍경에 더 관심을 갖는 베네치아 르네상스 미술의 특징을 단적으로 보여줍니다.

[그림 33] 조르조네, <폭풍우>, 1508, 캔버스에 유채, 82 x 73 cm, 이탈리아 베네치아 아카데미아 미술관 소장.

[그림 34] 조르조네, <잠자는 비너스>, 1508-10, 캔버스에 유채, 108.5 x 175 cm, 독일 드레스덴 고전 거장 미술관 소장.

▶ 그리스 신화에 나오는 비너스를 주제로 한 <잠자는 비너스>(1508-10) [그림 34]는 관능미를 발산하는 사랑의 비너스와 주변 풍경과의 조화가 돋보입니다. 조르조네는 30대 초반 흑사병으로 젊은 나이에 사망합니다. 당시 미완성이었던 이 그림은 조르조네와 친분이 있었던 베네치아의 거장 티치아노에 의해 완성됩니다.

색채로 물들이다,
"티치아노 베첼리오"

5장 베네치아 르네상스 완성자
- 티치아노

Tiziano Vecellio
(1488-1576), Italian.

티치아노 베첼리오

티치아노 베첼리오(Tiziano Vecellio, 1488-1576)는 베네치아 르네상스 미술을 완성한 예술가 입니다. 부드러운 색채로 따뜻한 감성을 표현한 티치아노는 미술 재능이 매우 뛰어나 황제와 교황, 귀족에게 많은 주문 의뢰를 받았습니다. 그는 베네치아 르네상스의 선구자 조반니 벨리니 밑에서 미술을 배웠습니다. 같은 공방에서 베네치아의 위대한 화가 조르조네와 교류하며 피렌체 화풍과 다른 베네치아 미술을 수립하기 위해 노력하였습니다.

1510년 동료 조르조네의 죽음으로 티치아노는 조르조네의 작품을 계승하면서도 독자적인 화풍을 구축하는 데 더욱 몰두하였고, 마침내 현재 우리가 알고 있는 위대한 예술작품을 남겼습니다. 그는 특히 황제 카를 5세의 초상화를 그린 후 백작 작위를, 교황 바오로 3세의 초상화를 그린 후 로마 시민권을 부여받는 등 화가로서 최고의 권위를 누렸습니다.

초기 작품 (1510~1530)

　초기 작품은 배경을 따뜻한 느낌이 나도록 붉은색으로 칠한 후 인물을 사실적으로 그린 다음, 유화물감을 희석하여 30~40번 겹쳐 발라 투명하게 빛나는 광택을 표현하였습니다. 전체적으로 온기를 머금은 듯 따뜻한 색채와 함께 수십 번의 중첩된 붓질 표현은 그려진 인물에 생명력을 더하는 티치아노의 독자적인 화풍입니다.

[그림 35] 티치아노, <거울을 보는 여인>, 1515, 캔버스에 유채, 93 x 76 cm, 프랑스 파리 루브르 박물관 소장.

▶ 향수병을 잡고 거울을 보며 단장을 하는 여인의 모습을 표현한 <**거울을 보는 여인**>(1515) [**그림 35**]는 티치아노의 젊은 시절 최고의 걸작으로 평가받고 있습니다. 그림 속 여인은 오른손으로 머리를 만지며 무엇인가를 물끄러미 생각하고 있고, 그림 왼쪽에는 남자가 작은 거울을 들고 여인을 향해 있습니다. 그는 다른 한손에 금색 프레임의 큰 거울을 잡고 여인을 감싸 안으려는 포즈를 취합니다. 배경 속에 어둡게 그려진 남자와 달리 희고 보드라운 피부의 여성은 남성과의 명암대비로 한층 눈에 띄고 그녀의 알 수 없는 표정은 몽환적인 분위기를 유도하여 호기심과 궁금증을 야기합니다.

중기 작품 (1530 - 1560)

밝은 색채와 생동감으로 즐거움을 주었던 티치아노의 초기 화풍은 1530년 아내의 죽음을 계기로 변화합니다. 중기 작품은 배경이 어두워지고 인물 표현에 더욱 중점을 두었으며, 붉은색조가 부각되는 특징이 있습니다. 이 시기 황제와 교황의 초상화를 제작하여 유럽 전역에 베네치아의 화풍을 널리 알리게 되었고, 신분 작위의 부여와 로마시민권 하사는 티치아노를 베네치아의 영웅이자 정부의 명실상부한 예술가로 자리매김 하는 데 크게 기여했습니다.

[그림 36] 티치아노, <우르비노의 비너스>, 1538, 캔버스에 유채, 119 x 165 cm, 이탈리아 피렌체 우피치 미술관 소장.

▶ <우르비노의 비너스>(1538) **[그림 36]**은 우르비노(Urbino) 공작 귀두발도 델라 로베레(Guidubaldo della Rovere, 1514-74)의 결혼 기념을 위해 주문 제작된 그림 입니다. 미의 여신 비너스를 상징하는 이 그림은 앞서 살펴본 **조르조네** <잠자는 비너스>(1508-10) **[그림 34]**와 구도와 자세에서 상당히 유사합니다. 관능적인 미와 섬세한 인체 표현 및 침대 시트의 묘사는 티치아노가 얼마나 그림을 생생하게 잘 그린 화가였는지를 충분히 알 수 있게 합니다.

후기 / 말기 작품 (1560-76)

▶ <피에타>(1576) **[그림 37]**은 티치아노의 말기 작품입니다. 그림의 오른쪽 하단에 무릎을 꿇고 그리스도를 바라보는 성 제롬은 티치아노의 모습과 유사합니다. 티치아노는 비장한 슬픔을 경건하게 대처하는 성 제롬에게 감정을 이입하여 자신의 얼굴을 그려 넣었습니다.

전체적으로 탁하고 어두운 색이 사용되었으며, 건축의 구조는 단단하게 형상화 되어 무겁고 엄숙한 분위기를

[그림 37] 티치아노, <피에타>, 1576, 캔버스에 유채, 389 x 351 cm, 이탈리아 베네치아 아카데미아 미술관 소장.

자아냅니다. 그리스도를 애도하는 이 그림은 마치 정지된 장면처럼 고요한 가운데, 그림 속 유일하게 한 손을 들고 한 발을 내딛은 막달라 마리아와 횃불을 들고 있는 아기 천사가 정적을 깨고 동적인 활력을 불어넣고 있습니다.

티치아노는 자신의 죽음을 예견이라도 한 듯 회색조의 석관과도 같은 그림을 그렸고, 우연의 일치처럼 그의 죽음과 함께 화려했던 베네치아의 전성기 르네상스 미술도 막을 내리게 됩니다.

[북유럽 르네상스 특징 4가지]
1. 플랑드르 지역에서 시작
2. 정교한 사실주의
3. 복잡하고 불규칙적인 구도
4. 치밀하고 빽빽한 공간 표현

6장 이탈리아 르네상스 vs 북유럽 르네상스 차이점 4가지

이탈리아 르네상스 vs 북유럽 르네상스

이탈리아에서 시작된 르네상스는 북유럽 국가에도 큰 영향을 주었습니다. 특히 북유럽의 중심지 네덜란드와 벨기에는 이탈리아 르네상스 정신을 빠르게 수용하였습니다.

르네상스 미술은 크게 두 세력으로 나눌 수 있습니다. 이탈리아 중심의 남부 르네상스와 플랑드르 중심의 북부 르네상스 입니다.

* 플랑드르는 네덜란드와 벨기에를 합친 지역을 뜻합니다.

이탈리아는 초기 르네상스 화가 보티첼리와 전성기 르네상스를 대표하는 레오나르도 다 빈치, 미켈란젤로, 라파엘로 및 베네치아의 거장 티치아노를 앞세워 고전의 부활을 토대로 한 르네상스 미술을 유럽 전역으로 확산시키는 데 기여했습니다.

그러나 플랑드르 지방은 고대 그리스 로마 양식을 모티브로 했던 이탈리아 미술과는 달리, 모방할 고대 유물이 없었습니다. 따라서 그들만의 새로운 방식으로 르네상스 미술을 구축하였습니다. 플랑드르 지방은 이탈리아의 화풍을 수용하면서도 과거가 아닌 현실과 자연에 주목하였고, 자연의 묘사와 치밀한 사실주의가 발달하였습니다.

▶ 이탈리아 르네상스와 북유럽 르네상스 미술의 차이점을 도표로 정리해보았습니다. 각각의 차이점은 그림과 함께 차례대로 소개합니다.

르네상스	이탈리아 르네상스	북유럽 르네상스
근원지	피렌체	플랑드르
주요 목표	이상적인 아름다움을 표현함	정교한 사실주의를 추구함
구도	안정감 있는 삼각형 구도 규칙적인 화면 분할	복잡하고 불규칙적인 구도
공간 표현	여백의 미 원근법에 의한 광활한 공간 표현	여백 거의 없음 치밀하고 빽빽한 공간 표현

북유럽 르네상스 특징 1. 플랑드르 지역에서 시작

　브뤼셀, 겐트, 할렘 등 플랑드르 지방의 도시들은 이탈리아 피렌체, 로마, 베네치아 못지않은 예술의 중심지였습니다. 플랑드르 지방은 근접 국가 독일, 영국의 사이에 위치하고 있어서 상대적으로 무역의 접경지이기도 하였고 많은 예술가들이 도시에 모여들어 르네상스 미술을 발전시키는 데 기여하였습니다.

북유럽 르네상스 특징 2. 정교한 사실주의

　이탈리아의 3대 거장 레오나르도 다 빈치, 미켈란젤로, 라파엘로의 그림에도 사실주의에 입각한 정교한 표현이 돋보이지만, 그들에게 있어서 사실주의적 표현은 이상적인 아름다움과 영웅의 위대함을 칭송하기 위한 수단에 불과했습니다. 그러나 북유럽 르네상스의 사실주의는 실존 인물 자체에 주목하여 그 인물의 모든 것을 그대로 정교하게 나타내는 일이 그림의 목표였습니다.

　대표적인 예로 얀 반 에이크의 초상화는 마치 실제 살아 있는 사람이 앞에 있는 것처럼 느껴집니다. 특히 <푸른 터번을 쓴 남자>(1430-33)

[그림 38] 얀 반 에이크, <푸른 터번을 쓴 남자>, 1430-33, 나무에 유채, 22.5 x 16.6 cm, 루마니아 부크레슈티 국립미술관 소장.

[그림 38]은 푸른 터번의 질감과 모서리의 정교한 표현이 극사실주의 미술의 진수를 보여줍니다.

북유럽 르네상스 특징 3. 복잡하고 불규칙적인 구도

이탈리아 베네치아의 **티치아노** <성모의 승천>(1516-18) **[그림 39]**는 7m 가까이 되는 수직의 거대한 그림을 3등분으로 분할하여 표현하였습니다. 상중하의 화면 분할은 그림을 보는 사람들에게 이야기 전달을 용이하게 합니다. 또한 그림에서 성모와 아래 두 인물의 붉은 옷은 삼각형 구도로 서로 연결되어 안정적인 분위기를 전달합니다.

그러나 히에로니무스 보쉬 <쾌락의 정원>(1510-15) **[그림 40]**은 복잡한 구성과 다양한 표현이 한 데 어우러져 불규칙적인 구도로 그려져 있습니다.

[그림 39]   티치아노, <성모 승천>, 1516-18, 캔버스에 유채, 690 x 360 cm, 이탈리아 베네치아 산타 마리아 글로리오사 데이 프라리 성당 소장.

[그림 40] 히에로니무스 보쉬, <쾌락의 정원>, 1510-15, 패널에 유채,
중앙 패널 219.7 x 195 cm, 좌우 패널 각 219.7 x 96.5 cm,
스페인 마드리드 프라도 미술관 소장.

북유럽 르네상스 특징 4. 치밀하고 빽빽한 공간 표현

이탈리아 전성기 르네상스를 대표하는 라파엘로의 <대공의 성
모>(1504-05) [그림 3]과 얀 반 에이크의 <읽고 있는 성모와 아기 예
수>(1433) [그림 41]은 공간 구성에 있어서 차이점을 보여줍니다.

라파엘로의 <대공의 성모>(1504-05)는 성모와 아기 예수 중심의 간결
한 구도와 단색의 어두운 배경으로 인해 중심인물에 시선이 간다면, 얀
반 에이크의 <읽고 있는 성모와 아기 예수>(1433) 그림은 배경 공간에
장식적인 표현이 두드러져 시선을 분산시키고 다양한 사물과 소재의 표현
이 여백 공간 없이 치밀하게 묘사되었다는 점에서 차이가 있습니다.

[그림 41] 얀 반 에이크, <읽고 있는 성모와 아기 예수>, 1433, 나무에 유채, 26.5 x 19.5 cm, 호주 멜버른 빅토리아 국립미술관 소장.

이탈리아 르네상스 와 북유럽 르네상스의 공통점 2가지

이탈리아 르네상스와 북유럽 르네상스 미술은 각기 다른 4가지 특징 외에도 공통점이 있습니다.

그것은 바로 **사실주의와 상징주의가 혼합된 양식** 이라는 점입니다.
과거 중세미술이 종교화 중심의 천편일률적인 그림이었다면, 유화의 발달과 명암법 발견은 평면에서 입체적으로 대상을 표현하는 기법을 발전시켰습니다. 또한 르네상스의 휴머니즘 정신은 인물을 중시하고 사실주의적 기법으로 인체를 표현하는 미술을 표방하게 하였습니다. 이러한 점에서 **사실주의는 두 지역의 르네상스 미술을 대표하는 공통된 첫 번째 특징이**라고 할 수 있습니다.

두 번째 공통된 특징은 상징주의 입니다. 이탈리아 르네상스는 신화와 종교화를 통해 고대의 부활을 찬양하면서도 당대의 위엄 있는 황제와 교황을 그려서 영웅적인 면모를 알리는 데 목적을 두었습니다. 그림에는 다양한 상징 요소 (보티첼리가 그린 <봄> (1478-82) **[그림 8]**에서 비너스와 큐피드는 사랑을 상징하고, 티치아노의 <자화상> **[그림 42]**에 그려진 목걸이는 그의 권위를 상징하는 요소)가 내포되어 단순한 사실

[그림 42] 티치아노, <자화상>, 1550-62, 캔버스에 유채, 96 x 75 cm, 독일 베를린 국립회화관 소장.

주의에서 나아가 작품에 힘이 있는 것입니다.

북유럽은 이탈리아 르네상스보다 더 많은 상징 요소가 그림에 있습니다. 북유럽 르네상스의 상징성에 대한 내용은 다음 장에서 그림을 통해 보다 자세히 다루겠습니다.

7장 북유럽 르네상스 - 얀 반 에이크, 브뢰헬, 홀바인

얀 반 에이크 <아르놀피니의 결혼식>

네덜란드에 방문한 이탈리아 상인 조반니 아르놀피니(Giovanni arnolfini)와 그의 신부 잔느 드 쉬나니(Janne de Chenany)를 함께 그린 <아르놀피니의 결혼식>(1434) [그림 43]은 얀 반 에이크(Jan van Eyck, 1395-1441.7.9)의 가장 유명한 작품입니다.

부부가 된 두 사람은 사랑의 서약을 하고 있고, 아름다운 샹들리에 조명과 그 아래 뒷벽에 걸린 묵주, 가운데에 있는 거울과 그 옆 침대에 걸려 있는 나무 조각품은 매우 사실적이고 소품 하나하나 매우 섬세하게 자세히 그려져 있습니다. 그림의 왼편 창가 테이블에는 과일이 올려있고, 하단에 강아지와 벗어놓은 신발도 보여서 마치 우리가 아르놀피니 부부의 서약하는 중요한 공간에 초대 받은 기분이 듭니다.

◀ **[그림 43] 얀 반 에이크, <아르놀피니의 결혼식>, 1434,**
    패널에 유채, 83.7 x 57 cm, 영국 런던 내셔널 갤러리 소장.

그림을 더 관찰하면, 주인공 조반니 아르놀피니는 오른손을 들어 손바닥을 밖으로 보이며 서약을 다짐하고, 왼손으로 그의 아내 잔느 드 쉬나니의 오른손을 받쳐주며, 그의 왼손 위에 살포시 오른손을 얹은 그녀는 자신의 왼손을 몸 쪽으로 감싸 엄숙하고 거룩한 순간을 맞이하고 있습니다.

이 중요한 순간을 입증이라도 하는 듯 부부의 손 위로 보이는 가운데 거울에는 두 사람이 초대한 진짜 주인공이 보입니다. 그는 이 초상화를 그린 예술가 본인 얀 반 에이크 입니다. **[그림 44] 참고**

거울에는 총 4명이 등장하는데, 뒷모습으로 보이는 두 사람은 우리가 앞서 살펴봤던 결혼식의 주인공 아르놀피니 부부 입니다. 그들을 마주보고 푸른 색 옷을 입은 사람은 결혼식 담당자이며, 다른 한사람, 가장 멀리 작게 그려진 인물은 화가 얀 반 에이크 입니다.

[그림 44] 얀 반 에이크, <아르놀피니의 결혼식> 거울 부분.

거울 속 인물에 대해 많은 논란이 있습니다. 푸른 옷을 입은 사람이 얀 반 에이크이고 뒤에 있는 사람을 조수로 주장하는 미술사학자들도 있으나, 푸른 옷의 사람은 부부를 바라보는 측면 자세를 취하고 있고 뒤에 있는 사람이 관람자를 응시하는 정면 자세를 하고 있어서 정면을 보는 인물이 화가일 가능성이 높다고 봅니다. 왜냐하면 예술가가 관람자를 쳐다보는 이 혁신적인 자세는 당대 이탈리아 초기 르네상스 대표화가 산드로 보티첼리 <동방박사의 경배>(1475-76) **[그림 7]**과 후대 바로크미술의 에스파냐 궁정화가 디에고 벨라스케스 <시녀들>(1656) **[그림 88]**에도 모티브로 사용되는 중요한 계보이기 때문입니다.

(좌) [그림 7] 보티첼리, <동방박사의 경배>, 1475-76, 나무에 템페라,
134 x 111 cm, 이탈리아 피렌체 우피치 미술관 소장.
(우) [그림 88] 벨라스케스, <라스 메니나스 (시녀들)>, 1656, 캔버스에 유채,
318 x 276 cm, 스페인 마드리드 프라도 미술관 소장.

[그림 45] 보티첼리, <동방박사의 경배> 부분.

[그림 46] 벨라스케스, <시녀들> 부분.

<동방박사의 경배> [그림 45]에서 가장 오른쪽 황색 옷을 입고 우리를 쳐다보는 사람은 보티첼리, 화가입니다. 또한 <시녀들> [그림 46]에서 벨라스케스는 그림의 왼편 캔버스 앞에 붓을 들고 우리를 응시하는 모습으로 그려져 있습니다.

* 벨라스케스 그림은 스페인 바로크에서 자세하게 설명하겠습니다.

다시 얀 반 에이크의 <아르놀피니의 결혼식> 거울 이야기로 돌아옵니다. 얀 반 에이크는 작은 거울에 수수께끼처럼 작게 그린 본인의 존재를 사람들이 못 찾을 것이 이내 염려되었는지 거울 위에 큰 글씨로 'Johannes de eyck fuit hic.' 라고 자신의 이름을 새겨 넣었습니다. 이

문장은 라틴어이며, 번역하면 '얀 반 에이크가 입회했노라.' 입니다.

　만약 <아르놀피니의 결혼식>에 거울이 없었다면 어떤 해석을 할 수 있을까요? 아마 우리는 이 그림을 단순히 정교한 사실주의적 화풍의 플랑드르 르네상스 미술 작품으로 여겼을 것입니다. 그러나 거울이 있다면 이야기가 달라집니다. 얀 반 에이크의 거울은 배경 소품이나 사람들이 자신의 얼굴을 보기 위해 사용하는 수단으로써의 의미가 아닌 주체적인 작가의 존재를 알리고 공간을 넓히는 확장된 개념으로 해석할 수 있습니다. 거울을 통해 깊이 있는 공간으로의 초대와 예술가의 존재에 대한 환기는 이전 시대에 없었던 미술계의 새로운 설정 방식이라는 점에서 미술사적인 의의를 갖는 작품입니다.

　강아지는 충성심, 복종을 상징하는 동물로 남편에게 순종하는 아내의 덕목을 표현한 것입니다. 강아지의 털이 자세히 묘사되어 있고, 초롱초롱한 눈망울과 당장에라도 꼬리를 흔들며 달려올 것 같은 생동감은 북유럽 르네상스 미술의 사실주의 진수를 보여줍니다. [그림 47]

[그림 47] 얀 반 에이크, <아르놀피니의 결혼식> 강이지 부분

[그림 48] 얀 반 에이크, <아르놀피니의 결혼식>, 샹들리에 초 부분.

샹들리에 조명을 자세히 보면 초가 하나만 켜져 있음을 알 수 있습니다. 초는 신의 통찰력과 지혜를 상징합니다. 특히 촛불이 아르놀피니 머리 위에 있다는 점에서 남편의 지혜로운 덕목을 표현한 것이라고 볼 수 있습니다. [그림 48]

마지막으로 여성의 배가 볼록한 것에 대해 임신했다는 주장도 있고, 임신을 원하는 여성을 위해 일부러 배가 나온 모습으로 그렸다는 이야기도 있습니다. 임신과 관련한 주장의 설득력은 앞서 살펴본 거울의 우측 침대 기둥에 걸린 나무 조각품의 상징성에 기반 합니다. 이 나무 조각은 아이를 갖기를 원하는 여성의 수호성인 성 마가렛 입니다. 아이를 가졌는지의 유무에 많은 논란이 있지만 임신과의 연관성이 있는 그림이라는 것을 유추해볼 수 있는 대목입니다.

Pieter Bruegel (1525 - 1569), Flemish.

피테르 브뢰헬

피테르 브뢰헬(1525-1569.9.9)은 네덜란드 농부들의 일상을 사실적이면서도 풍자적으로 그린 북유럽 르네상스 대표 화가입니다.

그의 작품은 크게 세 가지 시기로 나누어 볼 수 있습니다. 첫 번째 (초기)는 브뢰헬이 1550년대 초중반 이탈리아 로마에서 활동한 시기입니다. 브뢰헬은 1551년 이탈리아로 여행을 떠나 4년간 머물면서 플랑드르의 풍경에 이탈리아의 성서적 요소를 결합한 새로운 화풍의 그림을 그리기 시작했습니다.

두 번째 (중기)는 1558~1566년 네덜란드 화가 히에로니무스 보쉬의 영향을 받은 시기입니다. 이 시기 브뢰헬은 복잡하면서도 기괴하며 풍자적인 작품을 표현하였습니다.

세 번째 (말기)는 1560년대 중후반에 그린 눈 속 풍경 시리즈입니다. 눈 내린 마을을 표현한 브뢰헬의 그림은 독자적인 화풍을 보여주며 플랑드르 르네상스 미술을 대표하는 가장 유명한 작품이 되었습니다.

초기 (1551-1557)

[그림 49] 브뢰헬, <그리스도와 열두 제자가 있는 티베리아스 호의 풍경>, 1553, 패널에 유채, 67 x 100 cm, 개인 소장.

농부들의 일상생활과 성서적인 주제의 결합이 돋보이는 초기 작품은 플랑드르 지방과 이탈리아의 종교적 주제를 함께 보여주는 특징이 있습니다.

▶ <그리스도와 열두 제자가 있는 티베리아스 호의 풍경>(1553) [그림 49]는 브뢰헬이 로마에서 그린 작품입니다. 플랑드르 지방의 전통적인 풍경이 광활하게 펼쳐지며, 위에서 아래를 내려다보는 시점으로 인물과 양떼, 배들의 모습이 사실적으로 표현되어 있습니다. 인물의 모습보다 풍경의 비중이 더 크다는 점이 브뢰헬 초기 작품의 주된 특징입니다.

중기 (1558-1566)

두 번째 (중기) 시기 브뢰헬은 공간에 여유가 없이 화면 가득 다양한 인물과 소품을 표현하였습니다. 초현실주의를 연상시키듯 환상적인 수수께끼 요소들이 나타나며, 복잡하면서도 허무주의적이고 풍자적인 성향이 풍부한 색채와 결합하여 에너지를 발산하는 작품을 표현하였습니다.

[그림 50] 브뢰헬, <네덜란드 속담>, 1559, 패널에 유채,
117 x 163 cm, 독일 베를린 국립회화관 소장.

▶ 네덜란드인의 생활상과 속담을 풍자적으로 나타낸 <네덜란드 속
담>(1559) [그림 50]은 많은 이야깃거리가 곳곳에 숨겨져 있습니다.

먼저 그림의 왼편 상단 지붕은 타르트 빵이 올려 있습니다. '과자로 지
붕을 덮다'라는 네덜란드 속담과 연결되는 이 장면은 빵으로 지붕을 덮을
만큼 돈이 많다는 의미를 갖습니다. 16, 17세기 네덜란드는 튤립 한 포기
가 네덜란드 집 3채에 견줄 정도로 비쌌고, 이로 인해 투기와 과소비가
심했다고 합니다.

그림 하단 중간에 돼지에게 꽃을 주는 남자의 모습이 보이는데, 이는 '돼지에게 꽃 주기'라는 네덜란드 속담으로 우리나라에서 이야기 하는 '돼지 목에 진주목걸이'와 유사한 의미를 갖고 있습니다. 즉 아무리 귀한 물건이라도 가치를 모르는 사람에게는 아무 소용이 없다는 의미입니다.

[그림 51] 브뢰헬, <네덜란드 속담> 부분 확대

말기 (1565-1569)

브뢰헬은 세 번째 (말기) 시기에 눈 내린 마을 풍경 시리즈를 그렸습니다. 그는 당대 유행한 르네상스 새로운 회화 기법인 원근법을 사용하면서도, 북유럽 르네상스의 대표적인 특징인 사실적이고 세밀하게 풍경을 나타냈습니다.

근경은 크고 선명하게, 원근은 작고 흐리게 표현하여 플랑드르 지방의 광활한 풍경을 효과적으로 보여주고, 인물과 풍경을 사실주의적 기법으로 세밀하게 그려서 실제 서민들의 삶과 자연의 모습을 자세하게 알 수 있는 특징이 있습니다.

[그림 52] 브뢰헬, <눈 속의 사냥꾼>, 1565, 패널에 유채,
117 x 162 cm, 오스트니아 비엔나 빈 미술사 박물관 소장.

▶ <눈 속의 사냥꾼>(1565) [그림 52]는 왼편 하단에 어두운색의 옷을
입은 사냥꾼과 개들이 흰 눈으로 뒤덮인 거대한 언덕을 지나는 모습을
표현한 작품입니다. 이 그림은 흰 눈과 대조적으로 인물과 동물이 짙게
그려져 눈에 잘 띄는 효과를 줍니다. 오른쪽 뒤로 산과 평야가 이어지는
풍경을 원근법에 의거하여 공간감 있게 잘 나타냈으며, 수평의 마을 모습
과 수직의 곧게 뻗은 나무가 수직수평의 구도로 교차하여 그림에 긴장과
조화를 동시에 느끼게 합니다.

Hans Holbein the Younger (1497-1543), German.

독일 르네상스 궁정 화가
한스 홀바인

한스 홀바인(Hans Holbein the Younger, 1497-1543)은 북유럽 르네상스 미술을 대표하는 독일 화가로서 역사상 가장 위대한 초상화가로 알려져 있습니다.

초기 그림은 고전적이면서도 종교적인 주제를 작품화 했는데, 이는 1511년 (당시 14세) 홀바인이 이탈리아로 여행을 떠나 레오나르도 다 빈치의 그림에 영감을 받은 것으로 보입니다.

종교개혁 이후 교회의 장식이 금지되자 홀바인은 일자리를 찾기 위해 영국으로 건너가, 1532년 (당시 35세)부터 헨리8세의 궁정화가로 활동하였습니다. 그의 대표 작품인 헨리8세의 초상화 시리즈와 왕비 빛 영국의 왕족 귀족들의 초상은 극사실주의 화풍으로 그려져 후대 초상화의 기준 정립에 모태가 되었습니다.

▶ 한스 홀바인 <최후의 만찬>(1524-25) **[그림 53]**은 레오나르도 다 빈치의 <최후의 만찬>(1495) **[그림 15]**와 비교했을 때 차이점을 쉽게 알 수 있습니다.

[그림 53] 한스 홀바인, <최후의 만찬>, 1524-25, 나무에 유채, 65 x 48 cm, 스위스 바젤 시립미술관 소장.

두 예술가의 최후의 만찬 그림은 이탈리아 르네상스와 독일 르네상스를 비교할 수 있는 대표적인 작품입니다. **두 그림의 차이점은 원근법의 사용 유무에서 비롯됩니다.**

[그림 15] 레오나르도 다 빈치, <최후의 만찬>, 1495, 석고, 템페라, 460 x 880 cm, 이탈리아 밀라노 산타마리아 델레 그라치에 성당 소장.

이탈리아 르네상스는 선 원근법을 발견하여 건축 양식이나 바닥 문양을 표현 할 때 앞에서 뒤로 갈수록 점점 작아지는 형태로 그림을 그려서 공간감과 화면의 깊이를 나타내는 효과를 주었습니다. 그러나 독일 르네상스는 원근법을 사용하지 않고 건축물이 평행으로 나열된 구도로 그려져 있으며, 사람과 배경 사이에 여유 공간이 전혀 없이 빽빽하게 꽉 차 보이는 특징이 있습니다.

[그림 54] 한스 홀바인, <대사들>, 1533, 패널에 유채,
209.5 x 207 cm, 영국 런던 국립미술관 소장.

▶ <대사들>(1533) **[그림 54]**는 영국으로 파견된 프랑스 대사들을 그린 작품입니다. 그림의 왼쪽 이 그림을 의뢰한 모피를 입은 대사(Jean de Dantevile) 및 오른편 검정옷의 친구(Georges de Selve) 주교는 당당한 자세로 서 있으며, 둘 사이에 보이는 지구본, 컴퍼스, 해시계 등의 소품은 당시의 과학의 발견과 새로운 지식에 대한 관심을 상징합니다. 중앙에 악기는 줄이 끊어져 있는데, 이것은 종교 갈등의 심화를 나타내는 당대의 문제를 상징화하는 것입니다. 악기 옆에 있는 루터교 찬송가는 위의 로마 중심의 지구본과의 대립, 즉 신구교의 종교분열을 암시합니다.

이 그림이 더욱 흥미로운 것은 그림의 하단에 위치한 비스듬하게 누운 '해골 형상'입니다. 16, 17세기 유럽은 '바니타스(vanitas)' 그림이 유행했습니다. 바니타스는 영어 'vanity'와 같은 뜻으로, '인생의 유한성, 헛됨, 덧없음'을 뜻하는 허무주의를 의미합니다.

홀바인은 프랑스 대사들을 극사실주의로 치밀하게 묘사하면서도 당대에 만연한 허무주의 의식을 해골에 빗대어 표현함으로써 높은 지위에도 불구하고 인간은 언젠가는 죽을 운명임을 암시적으로 나타냈습니다.

그림 하단 해골 형상 찾으셨나요? 실제로 런던 국립미술관에서 작품 관람을 위해 옆에서 들어올 때 해골 그림이 입체적으로 더 잘 보이도록 그려져 있다고 합니다.

[그림 55] 한스 홀바인, <영국 왕 헨리 8세의 초상화>, 1535, 캔버스에 유채, 28 x 20 cm, 개인 소장.

[그림 56] 한스 홀바인, <제인 시모어>, 1536, 패널에 유채, 65.4 x 40.7 cm, 오스트리아 비엔나 빈 자연사 박물관 소장.

▶ 1532년부터 홀바인은 헨리 8세 (재위 1509-47)의 궁정화가로 임명되어 왕 헨리8세와 왕비 제인 시모어(Jane Seymour, 1508-1537.10.24), 그리고 왕실 자제들의 초상을 그렸습니다. [그림 55], [그림 56]

[그림 57] 홀바인, <헨리 8세의 초상>, 1540, 패널에 유화 및 템페라, 88.5 x 74.5 cm, 이탈리아 로마 바르베리니 궁전 (국립고고학 박물관) 소장.

[그림 58] 티치아노, <교황 율리우스 2세의 초상화>,1545-46, 캔버스에 유채, 99 x 82 cm, 이탈리아 피렌체 피티 궁전.

▶ 북유럽 르네상스 궁정화가 홀바인의 치밀한 극사실주의 기법은 타의 추종을 불허 합니다. 홀바인의 <헨리 8세의 초상>(1540) [그림 57]과 베네치아의 거장 티치아노의 <교황 율리우스 2세의 초상화>(1545-46) [그림 58]의 촉촉하고 깊이감이 느껴지는 초상화와 비교해보시면 북유럽 르네상스와 이탈리아 르네상스 화풍의 차이점을 확실하게 알 수 있을 것입니다.

찬란했던 르네상스,
'매너리즘'에 빠지다

8장 후기 르네상스 (매너리즘) - 엘 그레코

El   Greco   (1541-1614),
Spanish, Greek.

매너리즘이란?

　매너리즘(Mannerism)은 라파엘로가 죽은 1520년 경 부터 17세기 초까지 유럽 전역에 걸쳐 풍미한 후기 르네상스 미술입니다. '스타일', '양식'을 뜻하는 이탈리아어 '마니에라(maniera)'에서 유래하여 '마니에리즘'으로 부르기도 합니다. 예술가들이 독창성 없이 기존의 틀을 그대로 답습한다는 부정적인 의미를 갖고 있습니다.

　매너리즘은 전성기 르네상스와 바로크 미술을 연결하는 미술사조로서 르네상스의 고전주의 이념을 과장하거나 비이성적으로 왜곡되게 표현함으로써 오히려 미의 균형이 깨지고 불안정한 구도의 기이한 분위기를 낳게 되었습니다.

이러한 미술 양식의 배경에는 당대의 불안정한 시대상이 있었습니다. 독일과 스페인이 로마를 침공하고 종교개혁으로 교황의 권위가 떨어졌으며, 전성기 르네상스를 대표하는 라파엘로마저도 갑작스럽게 생을 마감하자 예술가들은 더 이상의 것을 그려야 한다는 부담감과 불안함을 느꼈습니다. 그 결과 회화는 당대의 혼란스러운 시대상을 반영이라도 한 듯 형태가 왜곡되고 길게 그려졌으며 불안한 정서를 나타내는 매너리즘 (마니에리즘, 후기 르네상스) 그림들이 등장하게 되었습니다.

매너리즘을 대표하는 화가는 아그놀로 브론치노(Agnolo Bronzino), 파르미자니노(Parmigianino), 틴토레토(Tintoretto), 엘 그레코(El Greco) 등이 있습니다. 그중 엘 그레코는 매너리즘 (후기 르네상스) 시기 가장 활약이 두드러진 스페인 르네상스 대표 예술가입니다.

스페인 르네상스 엘 그레코

엘 그레코는 전성기 르네상스 시대의 예술가들이 추구했던 고결한 성경 이야기를 종교화로 표현하지 않았습니다. 그는 현실의 불안함을 벗어나기 위한 탈출구로써 천국에 대한 환상을 그리면서도 한편으로는 아무 위안이 되지 못하는 현실에 좌절하고 그에 따른 격정적인 감정을 기이한 분위기의 그림으로 표현하는 데 주력하였습니다.

엘 그레코의 <성모 승천>(1577) **[그림 59]**에서 성모는 더 이상 신격화된 분위기가 느껴지지 않습니다. 전성기 르네상스의 대표 화가 베네치아 거장 티치아노의 전통적인 <성모 승천>(1516-18) **[그림 39]**와 비교하면 그 차이점을 알 수 있습니다.

[그림 39] (좌) 티치아노, <성모 승천>, 1516-18, 캔버스에 유채,
690 x 360 cm, 이탈리아 베네치아
산타 마리아 글로리오사 데이 프라리 성당 소장.
[그림 59] (우) 엘 그레코, <성모 승천 >, 1577, 패널에 유채,
401 x 228 cm, 미국 시카고 아트인스티튜트 소장.

▶ 왼쪽 티치아노의 그림은 천사들이 구름을 받쳐 들고 성모의 승천을 축하하며, 하늘에 아름다운 금빛 색채가 거룩한 종교화를 상징합니다. 하단에 있는 사람들은 하늘을 향해 경의를 표하는 자세를 취하며 상하의 경계를 구분시켜 줍니다.

그러나 오른쪽 엘 그레코의 그림은 아기천사의 축복이 생략되었고, 지상의 인물들은 대부분 성모에 무관심한 듯 땅을 내려다보거나 시선을 회피하는 무료한 자세를 하고 있습니다. 또한 위아래, 즉 천상과 지상의 경계가 불분명한 특징이 있습니다.

[그림 11] (좌상) 레오나르도 다 빈치, <수태고지>, 1472, 패널에 유채 및 나무에 템페라, 98 x 217 cm, 이탈리아 우피치 미술관 소장.
[그림 18] (좌하) 라파엘로, <수태고지>, 1502-03, 나무에 유채, 27 x 50 cm, 개인 소장.
[그림 60] (우) 엘 그레코, <수태고지>, 1600, 캔버스에 유채, 91 x 66.5 cm, 미국 오하이오 톨레도 미술관 소장.

▶ <수태고지>는 많은 르네상스 화가들이 즐겨 그린 주제였습니다. 엘 그레코의 <수태고지>(1600) [그림 60]이 이탈리아 르네상스를 대표하는 레오나르도 다 빈치 <수태고지>(1472) [그림 11]과 라파엘로 <수태고지>(1502-03) [그림 18]과 어떻게 다른지 함께 놓고 비교해보면 차이점을 확연하게 알 수 있을 것입니다.

왼쪽 이탈리아 르네상스 <수태고지> [그림 11], [그림 18]은 명암법과 원근법에 입각하여 그려진 작품들입니다. 인물들은 풍부한 색채와 부드러운 명암에 의해 입체감이 드러나고, 배경 공간은 원근법에 의해 공간감과 화면의 깊이감을 느낄 수 있습니다.

그러나 오른쪽 후기르네상스 엘 그레코의 <수태고지> [그림 60]은 빛의 강약 대비가 커서 인물의 자세가 부자연스럽고 딱딱하게 느껴지며, 배경 공간 또한 원근법이 적용되지 않아서 현실감 없는 가상공간처럼 보입니다.

대신 엘 그레코 수태고지는 천사와 마리아의 만남 장면을 신비롭게 풀어냈고 환상적인 빛과 색채로 생경하게 표현하여, 전성기 르네상스에서 느끼지 못했던 긴장감과 동적인 에너지를 느낄 수 있습니다. 또한 왼쪽 그림들은 안정감 있는 수직수평의 구도와 따뜻한 색감으로 편안한 인상을 주는 반면에, 오른쪽 그림은 빛의 불규칙적인 기하학적 선들과 형상을 알 수 없는 기이한 붓 터치들로 인해 한층 불안하고 불안정한 분위기를 전달한다는 점에서 이탈리아 전성기 르네상스와 스페인 후기 르네상스 화풍의 차이가 있습니다.

▶ 엘 그레코의 그로테스크적인 화풍을 가장 잘 보여주는 작품은 <요한 계시록의 다섯 번째 봉인의 개봉>(1610) **[그림 61]**입니다. 이 그림은 전체적으로 길게 그려진 인체와 비현실적인 빛과 색채가 화면 가득 드리워져 긴장감을 야기합니다.

[그림 61] 엘 그레코, <요한계시록의 다섯 번째 봉인의 개봉>, 1610, 캔버스에 유채, 224 x 194 cm, 미국 뉴욕 메트로폴리탄 미술관 소장.

하늘을 향해 손을 뻗어 올리는 행동은 인간의 절규와 불안을 상징하며, 인체의 기이한 형상과 명암의 극명한 대비와는 대조적으로 바닥 공간이 짙은 붉은 색조로 어둡게 처리되어 인체들이 공간에 붕 떠 있는 초현실적인 분위기를 유도하고 있습니다.

르네상스 vs 매너리즘 3가지 차이
(전성기르네상스 vs 후기르네상스)

르네상스와 매너리즘 미술 (전성기 르네상스와 후기 르네상스) 차이는 다음과 같습니다.

첫째, **원근법 사용 유무에 의한 차이**입니다. 르네상스는 선 원근법과 대기원근법을 착실하게 따르고 공간감을 표현한 작품들이 많지만, 매너리즘은 원근법이 생략되어 공간의 모호함이 부각됩니다.

둘째, **구도의 차이**입니다. 르네상스의 그림들은 대부분 안정감 있는 삼각형 구도와 상하의 구분 및 위계질서가 확실했다면, 매너리즘은 불규칙적인 선들과 기이한 인물들의 나열이 불안정한 구도로 형상화 되어 있고 긴장감을 야기하는 특징이 있습니다.

셋째, **인체 표현 방식의 차이**입니다. 르네상스는 휴머니즘 사상에 입각하여 인체의 완벽한 미를 구현하고자 고대 그리스 로마의 조각을 모티브로 하였습니다. 아름다운 인체를 사실적으로 그리고 명암법에 입각하여 양감을 표현했습니다. 그러나 매너리즘은 인물이 길쭉하게 그려져 있고 피부의 색 또한 창백하여 현실감과 동떨어진 분위기를 나타낸다는 점에서 차이가 있습니다.

2부 바로크, 로코코 -
극적 표현과 우아함

9장 바로크 미술 뜻

바로크 미술 뜻

바로크(Baroque)는 포르투칼어 'barroco'에서 나온 용어로 '비뚤어진 모양을 한 기묘한 진주'를 뜻합니다. 1600년부터 1780년대 까지 유럽 전역에 발생한 미술사조로서, 르네상스의 고전적인 아름다움과 진일보한 회화 기법 및 매너리즘의 격정적인 감성과 극적 요소가 결합된 새로운 화풍을 의미합니다.

◀ [그림 62] 페테르 파울 루벤스, <십자가에서 내림>, 1617-18, 캔버스에 유채, 297 x 200 cm, 러시아 상트페테르부르크 에르미타주미술관 소장.

바로크 미술의 탄생

17세기 바로크 미술은 이탈리아 로마에서 시작되었습니다. 당시 로마 교황청은 반종교개혁 이후 자신들의 승리를 기념하고 신도들을 끌어들일 목적으로 화려한 건축물 축조와 예술품의 적극적인 후원에 앞장섰습니다. 그 결과 각국의 많은 예술가들이 로마로 모이게 되었습니다. 로마로 유학 온 예술가들은 르네상스 시대의 걸작들을 보고 큰 영향을 받게 됩니다. 그들은 자국으로 돌아가 그들이 보고 배운 그림기법을 자신만의 방식으로 새롭게 그렸으며, 이 그림들이 곧 각 국가를 대표하는 특징적인 바로크 미술 양식이 되었습니다.

바로크 미술의 발생지인 이탈리아 로마에서는 르네상스 시대부터 있었던 아카데미를 통해 르네상스 회화기법을 화가들이 쉽게 배울 수 있었습니다. 그들의 그림은 주로 종교화였습니다. 다만 그리는 방식에 있어서 르네상스 시대의 차분하고 안정적인 아름다움이 아니라 매너리즘과 결합된 감정적인 분위기와 명암의 대비효과를 더 부각시킨 새로운 화풍을 추구하며 이탈리아 바로크를 수립하였습니다.

10장 이탈리아 바로크 - 카라치, 카라바조

안니발레 카라치 vs 미켈란젤로 다 카라바조

이탈리아 바로크는 상반된 기법으로 그리는 두 화가의 작품으로 대표되는 미술입니다. 볼로냐 출신 안니발레 카라치(Annibale Carracci, 1560.11.3-1609.7.15)와 밀라노 근처에 있는 작은 마을 출신인 미켈란젤로 다 카라바조 (Michelangelo da Caravaggio, 1571.9.29-1610.7.18)는 이탈리아 바로크 미술을 설명할 때 비교 대조하기로 많이 거론되고 있습니다.

안니발레 카라치

▶ 안니발레 카라치는 로마에서 라파엘로의 작품을 보고 르네상스 미술의 고전적인 균형미와 아름다움을 다시 회복하려고 했습니다. 카라치 작품은 이탈리아 르네상스 미술의 전형적인 삼각형의 구도를 따르며, 슬픔과 고통을 승화시켜 감정이 최대한 배제된 화풍이 특징입니다.

Annibale   Carracci (1560-1609),Italian.

[그림 63] 안니발레 카라치, <피에타 : 그리스도를 애도하는 성모>,
제단화, 1599-1600, 캔버스에 유채, 155 x 149 cm,
이탈리아 나폴리 카포디몬테 미술관 소장.

안니발레 카라치 <피에타>(1599-1600) **[그림 63]**은 신자들이 기도하고 예배드리며 조용히 묵상하기 위해 고안된 제단화 입니다. 그의 작품은 이상화된 인물 형상과 성서의 주제가 결합되어 우아하고 고요하게 느껴진다는 점에서 르네상스 미술의 화풍을 추구했다고 볼 수 있습니다. 그러나 성모와 그리스도의 피부에 표현된 빛과 색채의 명암 대비 효과는 르네상스 미술에서 바로크 미술로 변화되었음을 알려줍니다. 특히 그림의 중심으로 조명이 설정된 듯 환한 빛의 표현은 작품에 더 몰입하게 하는 극적인 요소로써 이탈리아 바로크 미술의 주된 특징입니다.

카라바조

C a r a v a g g i o
(1571-1610), Italian.

▶ 카라바조 (Michelangelo da Caravaggio, 1571-1610)는 고전적인 규범을 좋아하지 않았고, 이상적인 아름다움 또한 존재하지 않는다고 생각한 화가입니다. 그는 사실적인 형태를 그리면서도 인간의 감정과 고통을 여과 없이 그대로 보여주고자 노력했습니다.

<성 도마의 의심>(1602) [그림 64]는 성 도마가 그리스도의 옆구리에 난 상처에 손가락을 넣는 장면을 형상화한 작품입니다. 이 작품은 현 시대에도 충격적으로 느껴질 만큼 아주 노골적이고 직접적인 장면 묘사라는 점에서 당대에 큰 논란을 야기하였습니다. 그림에서 그리스도를 중심으로 세 제자들이 그리스도를 향해 시선을 집중시키고 있으며, 그들 중 한 사람 성 도마가 집게손가락으로 그리스도의 상처를 대담하게 찌르는 모습을 하고 있습니다.

[그림 64] 카라바조, <성 도마의 의심>, 1602, 캔버스에 유채, 107 x 146 cm, 독일 포츠담 상수시 궁전 소장.

카라바조의 그림은 당대 사람들에게 불경스러운 그림으로 많은 비난을 받았습니다. 왜냐하면 그동안 전형적인 르네상스 그림의 사도들은 대부분 기품 있고 경건한 제자들의 모습으로 이상화되어 그려져 있으나, 카라바조의 그림에 등장하는 제자들은 옷이 찢어져있고 얼굴은 주름이 잡혀있는 현실의 늙은 노동자들로 그려져 있기 때문입니다

카라바조의 노골적이고 직설적인 그림은 그의 성격과도 연관성이 있습니다. 그는 평소 성미가 급하고 화를 잘 내면서도 신앙심이 두터운 화가였다고 합니다. 특히 성서를 열심히 읽고 그 의미를 그림으로 정확하게 구현하고자 노력했기에 <성 도마의 의심> 작품 또한 성서에 기인한 작품으로 해석할 수 있습니다. 예수가 도마에게 "네 손을 내 옆구리에 넣어보아라. 그리고 의심을 버리고 믿어라."라고 말한 성경의 장면을 카라바조는 분명하게 작품으로 그렸으며, 그 어떤 이상화된 개념과 관습을 배제하고 오로지 성서에 쓰인 의미 그대로를 신실하게 작품으로 나타냈다고 볼 수 있습니다.

카라바조는 성경에 등장하는 인물들을 실감나게 표현하고 성경 내용을 정확하게 전달하기 위해 그리는 기법에 있어서도 이전 르네상스와 매너리즘 미술에서 볼 수 없었던 새로운 화풍을 선보였습니다. 그의 작품에서 인물 표현 방식은 명암법과 양감에 의거한 르네상스의 부드럽고 온화한 분위기와는 거리가 멉니다. 깊은 어둠과 밝음의 극명한 대조 속에 인체는 어둠속에 사라졌다가 불시에 나타나는 역동성을 지닙니다. 인물의 피부 또한 조명에 의해 빛나는 색채처럼 번쩍이는 광으로 표현되어 있어서 마치 명화와 연극의 한 장면처럼 그림을 극적인 요소로 보고 작품에 더욱 몰입하게 하는 효과를 갖습니다. 카라바조 그림의 극적인 요소와 동적인

[그림 65] 카라바조, <성 마태오의 부름>, 1600, 캔버스에 유채, 343 x 323 cm, 이탈리아 로마 산 루이지 데이 프란체시 성당 소장.

에너지, 명암의 극명한 대비는 이탈리아 바로크 미술의 주된 양식으로 규정됩니다.

▶ <성 마태오의 부름>(1600) **[그림 65]**는 어두운 공간에 들어오는 유일한 빛이 오른쪽에서 왼쪽을 향해 비스듬하게 들어와 마치 무대 세트장 같은 분위기를 연출합니다. 오른편 그리스도의 부름에 반응을 보이는 왼편 사람들의 놀라는 모습에 긴장감이 느껴지며, 상대적으로 주인공 그리스도는 뒷모습의 남자에 가려져 형체가 일부만 드러나 궁금증과 호기심을 자극합니다.

무언가에 홀린 듯 오른쪽을 쳐다보는 사람들의 다양한 동작과 시선 및 오른편의 남자에 의해 가려진 그리스도의 몸에서 유일하게 반짝이는 얼굴과 손은 그림에서 동적인 에너지와 긴장감을 극대화합니다.

이처럼 긴박한 상황에 의한 긴장감 고조와 무대 세트장 같은 연출 효과는 카라바조 작품의 주된 특징이면서도 이탈리아 바로크 미술을 규정하는 주요 특징입니다

이탈리아 바로크미술 특징
카라치 & 카라바조 공통점 2가지

안니발레 카라치와 미케란젤로 다 카라바조는 상반된 작품 성향을 추구하면서도 두 가지 공통점을 갖고 있습니다.

첫째, 기교에 치우친 매너리즘을 비판하고, 새로운 화풍을 추구하여 매너리즘 미술의 한계를 극복했다는 점입니다. 두 예술가 모두 매너리즘을 지양하고 카라치는 르네상스 고전의 부활에 초점을 둔 새로운 그림을 그렸고, 카라바조는 사실을 있는 그대로 전달하는 것에 목표를 두고 그림을 그렸습니다.

둘째, 빛과 어둠의 명암 대비 효과를 통해 그림의 몰입을 높이는 새로운 화풍을 창조했다는 점입니다. 두 화가는 성서의 주제를 사실적으로 그리면서도 르네상스 화풍을 그대로 따르지 않았습니다. 작품의 완성도와 몰입을 위해 조명 효과를 작품에 넣었고, 그 결과 명암의 대비 및 극적인 요소 부각 등의 새로운 화풍이 탄생하여 이탈리아 바로크를 정의하는 중요한 기틀이 되었습니다.

이탈리아 바로크 요약 정리

* 이탈리아 바로크미술 특징 : 명암의 대비 강조, 극적인 분위기
* 카라치 vs 카라바조 차이점 : 카라치는 이상적인 아름다움을 추구
하고, 카라바조는 있는 그대로의 사실 전달을 목표로 함
* 카라치와 카라바조 공통점 : 매너리즘 비판, 새로운 화풍 수립
(명암 대비 효과 강조, 극적인 요소의 부각으로 작품의 몰입을 높임)

11장 프랑스 바로크 - 니콜라 푸생

Nicolas   Poussin
(1594-1665), French.

니콜라 푸생

'프랑스 회화의 아버지'로 불리는 니콜라 푸생(Nicolas Poussin, 1594-1665)은 서양미술사에서 전통규범과도 같은 예술가 입니다. 17세기 프랑스는 북부 르네상스의 사실주의적 표현 기법과 남부 르네상스의 이상주의적 화풍 및 격정적인 궁정 바로크 양식에 모두 영향을 받았습니다. 이 모든 사조를 하나로 통합하여 독자적인 미술로 완성한 사람이 바로 푸생 입니다.

푸생은 노르망디 레 잔드리(Les Andelys)의 공증인 집안에서 태어났습니다. 18세에 프랑스 파리에서 본격적으로 미술을 배웠고, 30세인 1624년 로마로 이주하여 생을 마감하기 까지 40여 년간 로마에서 그림을 그렸습니다.

로마는 미켈란젤로, 라파엘로 등의 거장이 황제와 교황의 총애를 받으며 마지막까지 활동했던 미술의 중심지이며, 17세기 초 젊은 화가들 사이에서 급부상한 바로크 미술의 집결지였습니다. 푸생도 다른 예술가들처럼 교황의 후원을 받고 성 베드로성당의 제단화를 의뢰받아 <성 에라스무스의 순교> 작품을 그렸으나, 차분하고 엄숙한 분위기의 푸생 그림은 화려하고 웅장한 화풍을 선호하는 교황과 황제의 취향과 맞지 않았습니다.

푸생은 초기에 바로크적인 화풍으로 그림을 그리기도 하였습니다. 그러나 역동적적인 요소와 감정의 표출은 푸생의 성향과 맞지 않았습니다. 그는 교황과 황제의 요구대로 그림을 그리지 못하여 경제적으로 어려움을 겼었지만, 본인의 소신대로 아카데믹한 사실주의적 화풍을 고수하였습니다. 꾸준히 그림을 그리면서 자신만의 색깔과 양식을 찾으려고 노력했습니다. 그 결과 당대의 다른 예술가들과 차별화 되는 푸생만의 그림을 남겼고, 후대 여러 미술 사조에 선구자적인 화가로 거론되며 많은 예술가들에게 큰 영향을 끼쳤습니다. 푸생의 그림이 바로크 미술을 대표하는 당대의 유명한 다른 화가들의 그림과 구별되는 이유가 바로 여기에 있는 것입니다.

초기 작품 (1625-1630)
바로크 화풍

푸생이 로마로 이동하여 그림을 그리기 시작한 1620년대 중반부터 1630년까지를 푸생의 초기 작품 시기로 볼 수 있습니다. <피에타>(1625-27) [그림 66]은 이탈리아 바로크 화풍과 유사합니다. 바로크 미술의 출발지인 이탈리아 로마에서 이제 막 바로크 미술이 유행하기 시작했고, 당대 조각가 베르니니와 화가 카라바조 등의 예술가들이 교황과 황제의 후원 아래 많은 예술품을 남기던 시기였기 때문에, 푸생 또한 당대의 사회적 분위기에 크게 영향을 받은 것으로 보입니다.

[그림 66] 푸생, <피에타>, 1625-27, 캔버스에 유채, 57.8 x 48.7 cm, 프랑스 세르부르 토마장리 미술관 소장.

중기 작품 (1630-1645)
이탈리아 르네상스 + 아카데믹한 푸생 화풍

이탈리아 바로크 미술에 영향을 받은 푸생은 점차 독자적인 화풍을 수립하기 시작했습니다. 그는 본인이 격정적이고 역동적인 성향의 바로크 양식과 맞지 않는다고 판단했고, 다시 르네상스 시대의 전통 기법부터 차례대로 연구하기 시작합니다. 로마로 떠났을 때 처음 본 라파엘로의 전통적 기법에 크게 감명을 받았던 푸생은 고대 그리스 로마의 신화적 요소와 성서를 주제로 한 종교화를 통해 전성기 르네상스의 전통을 회복시키려고 노력했습니다.

푸생의 중기 작품은 그의 아카데믹한 교과서적인 화풍을 가장 잘 드러내는 대표적인 그림이 나타나는 시기입니다. 사실주의적인 인체 형상과 르네상스의 견고한 명암 기법을 수용하면서도 프랑스 특유의 부드럽고 섬세한 분위기와 밝은 색채가 성서와 신화와 만나 새로운 화풍으로 그려진 특징이 있습니다.

▶ 한 여인과 세 명의 남자들이 석관을 둘러싸고 이야기를 나누는 <아르카디아에도 나는 있다>(1637-38) **[그림 67]**은 등장인물들이 모두 그리스 고전기에 등장하는 조각상처럼 단단하고 힘 있는 모습으로 형상화되어 있습니다.

[그림 67] 푸생, <아르카디아에도 나는 있다>, 1637-38, 캔버스에 유채, 121 x 185 cm, 프랑스 파리 루브르 박물관 소장.

남자들의 머리에 나뭇가지로 엮은 띠가 둘러져 있고, 지팡이를 들고 있는 모습으로 봤을 때 세 명은 양을 치는 목동입니다. 그들을 바라보는 여인은 육중한 모습으로 그려져 있으며 그들의 시선은 석관에 씌어있는 글씨 'Et in Arcadia Ego(아르카디아에도 나는 있다)'라는 라틴어인 이 작품의 제목을 향해 있습니다.

'아르카디아'는 실제 그리스의 지역명이면서 동시에 천국과도 같은 지상낙원으로 알려진 장소입니다. 그림에서 무덤을 연상케 하는 석관의 글씨는 결국, 지상 낙원과도 같은 환상적인 장소에서도 '죽음은 늘 우리 곁에 존재 한다'라는 엄숙한 내용을 전달하고 있는 것입니다.

후기 작품 (1645-1665)
북유럽 르네상스 + 자연주의적 푸생 화풍

후기에는 자연 풍경 위주의 봄, 여름 ,가을, 겨울 시리즈를 연작 합니다. 그의 자연 풍경은 실제 모습이 아닌 이상적인 자연으로 다가오는 특징이 있습니다. 구도와 비례에 있어서 엄격한 수학적 배분과 질서정연한 규칙에 의해 건물과 나무, 하늘 등이 배열되어 있으며, 거대한 자연 속 작게 그려진 인물은 마치 정지된 듯 미미한 존재로 표현되어 있습니다. 교과서 견본처럼 풍경은 이렇게 그려야 한다는 가르침을 전달하는 것 같은 푸생의 후기 그림은 19세기 자연주의 화가 밀레에게 큰 영감을 주었고, 계절별 연작의 형태는 인상주의 화가 모네에게 영향을 주었습니다.

▶ 포시옹 (포시온)은 아테네 장군입니다. 고대 영웅의 엄숙한 장례 행렬이라는 주제에 맞게 질서정연하고 이상적인 자연 풍경이 한 치의 오차도 없이 완벽한 형태와 구성으로 그려져 있습니다.

[그림 68] 푸생, <포시옹의 매장>, 1648, (포시온의 장례식이 있는 풍경),
1648, 캔버스에 유채, 114 x 175 cm, 영국 카디프 국립박물관 소장.

12장 플랑드르 바로크 - 루벤스

Peter   Paul   Rubens
(1577-1640), Flemish.

페테르 파울 루벤스

페테르 파울 루벤스(Peter Paul Rubens, 1577.6.28-1640.5.30)는 풍부한 색채와 역동적인 구성으로 웅장하고 화려한 바로크 양식을 대표하는 화가 입니다. 독일에서 태어나 벨기에로 이주하였고, 이탈리아와 스페인, 영국의 여러 도시를 다니며 가문의 후원과 주문제작 의뢰에 의한 초상화, 종교화, 신화, 역사화 등 다양한 그림들을 남겼습니다.

1577년 독일의 ′지겐(Siegen)]에서 태어난 루벤스는 14세에 미술을 배웠고, 1600년 이탈리아로 여행을 떠나 베네치아의 거장 티치아노의 작품에 크게 감명을 받았습니다.

루벤스의 그림이 따뜻한 색감과 관능미가 부각되는 점은 티치아노 그림에 영향을 받은 것으로 보입니다.

루벤스의 미술재능을 한 눈에 알아본 만테냐 공작 빈첸초 1세는 그를 적극적으로 후원하였습니다. 경제적 지원을 받은 루벤스는 1601년 이탈리아 예술의 중심지 피렌체와 로마를 다니며 전성기 르네상스를 대표하는 라파엘로의 그림을 모작하였고, 고대 헬레니즘시대의 라오콘 조각상에 큰 영감을 받아 본격적으로 역동적이면서도 풍만한 인체 형상이 두드러지는 작품들을 많이 그렸습니다.

　　루벤스는 1603년 스페인으로 여행을 떠납니다. 마드리드의 프라도에 머물면서 <레르마 공작의 승마 초상화>(1603) [그림 69]를 그립니다. 이 그림은 티치아노의 <뮐베르크의 황제 카를 5세>(1548) [그림 70]과 구도가 상당히 유사합니다.

[그림 69] 루벤스, <레르마 공작의 승마 초상화>, 1603, 캔버스에 유채, 283 x 200 cm, 스페인 마드리드 프라도미술관 소장.

[그림 70]　티치아노, <뮐베르크의 황제 카를 5세>, 1548, 캔버스에 유채,　332 x 279 cm, 스페인 마드리드 프라도미술관 소장.

　왕실의 적극적인 후원 아래 루벤스는 성모마리아 성당을 위한 제단화도 주문 의뢰를 받습니다. 루벤스가 그린 세 폭 제단화 <십자가를 세움>(1609-10) **[그림 71]**, <십자가를 내림>(1612-14) **[그림 72]**는 루벤스가 궁정 초상화가이면서 플랑드르 지역의 종교화를 대표하는 화가로 자리매김 하는 데 크게 기여하였습니다.

[그림 71] 루벤스, <십자가를 세움>, 1609-10, 나무에 유채,
68 x 107 cm, 프랑스 파리 루브르박물관 소장.

[그림 72] 루벤스, <십자가에서 내림>, 제단화, 1612-14, 패널에 유채,
150 x 420 cm, 벨기에 안트베르펜 성당 소장.

▶ <십자가에서 내림>(1612-14) [그림 72] 제단화는 전성기 르네상스
를 대표하는 미켈란젤로의 조각 같은 신체 형상과 티치아노의 부드러운
색채 및 따스한 공기의 흐름, 당대에 새롭게 등장한 카라바조의 극명한
명암 대비 등을 모두 아우르는 작품입니다. 바로크 미술의 종교화를 대표
하는 루벤스의 유명한 제단화입니다.

[그림 73] 루벤스, <모자를 쓴 여인>, 1625, 나무에 유채, 79 x 55 cm, 영국 런던 내셔널 갤러리 소장.

▶ <모자를 쓴 여인>(1625) [그림 73]은 루벤스의 두 번째 부인 엘렌 푸르망의 친척을 그린 작품입니다. 융단으로 만들어진 고급 모자를 쓰고 사랑스러운 표정으로 바라보고 있는 여인의 초상화는 루벤스의 중기를 대표합니다. 생생한 피부 표현과 포근하고 부드러운 색채 표현이 관능적인 여인의 미소와 조화를 이루는 위대한 그림 입니다.

루벤스는 1630년 두 번째 부인 엘렌 푸르망과 결혼합니다. 루벤스의 후기 그림에 자주 등장하는 그녀는 생동감 있고 관능적인 분위기의 그림을 그리는 데 많은 영감을 주었습니다. <모피 코트를 입은 비너스>(1630) [그림 74]는 루벤스의 아내 엘렌 푸르망을 비너스 여신으로 신격화하여 표현한 작품입니다.

* 첫 번째 부인은 1626년 사망했고, 4년 뒤(루벤스 53세)에 16세의 엘렌 푸르망(Helene Fourment)과 결혼합니다.

[그림 74] 루벤스, <모피코트를 입은 비너스 :엘렌 푸르망의 초상>, 1630, 캔버스에 유채, 176 x 83 cm, 오스트리아 빈 미술사박물관 소장.

빛의 화가, "렘브란트"

13장 네덜란드 바로크 - 렘브란트

Rembrandt (1606-69), Dutch/ Self-portrait (1659)

렘브란트 화가 생애 및 작품 특징

빛의 화가로 알려진 렘브란트 (본명: Rembrandt Harmenszoon van Rijn, 렘브란트 하르먼손 반 레인, 1606.7.15-1669.10.4)는 바로크 시대를 대표하는 네덜란드 예술가 입니다. 자화상을 많이 그린 화가로 유명하며, 사실적이면서도 섬세한 감정표현의 인물화로 네덜란드 미술의 황금기를 이끈 선구자 입니다.

렘브란트는 1606년 네덜란드 레이덴(Leiden, 암스테르담에서 서쪽으로 50km 떨어진 대학 도시)에서 부유한 제분업자의 아홉 번째 아들로 태어났습니다. 그는 14세 때 미술을 배우기 시작했고, 1632년 중심 도시 암스테르담으로 이주합니다. 그곳에서 외과의사조합의 주문으로 <**니콜라스 툴프 박사의 해부학 강의**>(1632) **[그림 75]**를 그려 화가로서의 명성을 얻습니다.

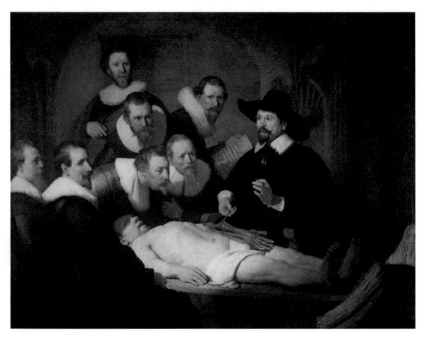

[그림 75] 렘브란트, <니콜라스 툴프 박사의 해부학 강의>, 1632, 캔버스에 유채, 216 x 169.5 cm, 네덜란드 헤이그 마우리츠호이스 미술관 소장.

▶ <니콜라스 툴프 박사의 해부학 강의>(1632) **[그림 75]**는 렘브란트가 처음으로 그린 그룹 초상화 입니다. 암스테르담 외과의사 조합원의 주문으로 제작된 이 그림은 네덜란드 미술에 새로운 바로크 화풍을 보여주는 계기가 됩니다.

당대의 많은 예술가들이 신화나 종교화, 역사화에 들어갈 인물들을 그렸으나, 렘브란트는 실존하는 일반인들을 대상으로 그렸다는 점에서 차별화되며, 표현 방식에 있어서도 기존의 예술가들이 추구한 르네상스 화풍과 전혀 다른 렘브란트만의 혁신적인 구도와 기법으로 나타냈다는 점에서 미술사적으로 큰 의의를 갖고 있습니다.

[그림 76] 렘브란트, <자화상>, 1633, 패널에 유채, 70 x 53 cm, 프랑스 파리 루브르 박물관 소장.

▶ 1632년 초상화가로서의 명성을 얻고 <자화상> 작품에서 표정이 밝아집니다. [그림 76] 참고

그러나 렘브란트의 행복은 오래 지속되지 못했습니다. 1642년 발표한 <야경 (야간 순찰대)> [그림 77]은 현대인에게 있어서 가장 위대한 바로크 미술로 칭송받고 있으나, 당대의 시선은 냉정했습니다.

[그림 77] 렘브란트, <야경 (야간 순찰대)>, 1642, 캔버스에 유채, 363 x 437 cm, 네덜란드 암스테르담 국립미술관 소장.

▶ <야경 (야간순찰대)>(1642) **[그림 77]**은 원래 대낮에 인물들이 행렬하는 모습을 형상화한 그림이었으나 유약이 두껍게 발라져서 밤의 장면으로 잘못 알려진 작품입니다.

중심인물인 바닝 코크 대장과 반 로이텐부르흐 부관 및 16명의 부대원이 그려진 이 작품은 인물들이 일렬로 서 있지 않고 서로 겹치거나 어둠 속에 얼굴의 일부만 인식되는 등, 빛과 어둠의 대비 속에 사람들의 표정과 감정이 생생하게 전달되는 특징이 있습니다.

어두운 분위기와 윤곽선의 불분명한 표현은 이 그림 속 주인공들에게 큰 불만을 안겨주었습니다. 등장인물들의 모습이 돋보이지 않는다는 이유로 많은 멸시와 비난을 받은 렘브란트는 그동안 쌓아왔던 초상화가로서의 명성도 모두 잃게 됩니다. 불행은 한꺼번에 다가오는지 렘브란트의 아내마저도 세상을 떠났고, 경제적 궁핍과 사람들의 외면 속에 홀로 남겨진 그는 혈혈단신 껍데기만 남은 자화상을 그리며 유일하게 자신을 위로하였던 것으로 보입니다.

[그림 78] 렘브란트, <자화상>, 1643, 보드에 유채, 72 x 53 cm, 스페인 마드리드 티센 보르네미사 미술관 소장.

▶ 1642년 후 렘브란트의 표정이 조금씩 슬퍼집니다. **[그림 78] 참고**

▶ <자화상>(1669) [그림 79]는 렘브란트 생애 마지막 자화상 입니다.

렘브란트는 자화상을 통해 어둠 속에서 아련하게, 때로는 강하게 빛나는 빛을 그렸습니다. 그에게 있어서 빛은 자신이 의지할 유일한 '희망'이었을 것입니다. 그의 소망대로 렘브란트는 '빛의 화가'로 우리들의 마음속에 영원히 기억될 것입니다.

14장 영국 바로크 - 게인즈버러vs레이놀즈

Thomas Gainsborough (1727-88), British.

Joshua Reynolds (1723-92), British.

영국 바로크 미술 특징

영국은 17세기 종교미술이 금지되면서 풍경화, 인물화가 발달합니다. 당시 영국은 문학에서 셰익스피어, 밀턴에 의해 전성기를 맞이했으나 미술에 있어서는 활약이 미미했습니다. 한스 홀바인 같은 외국 작가들이 영국 궁정 초상화를 그리며 활동하는 정도였습니다. 그 가운데 드디어 미술 분야에서 두각을 나타내는 영국 화가들이 등장합니다. 그 3명은 윌리엄 호가스(William Hogarth, 1697-1764), 토마스 게인즈버러(Thomas Gainsborough, 1727-88), 조슈아 레이놀즈(Joshua Reynolds, 1723-92) 입니다.

이 중 게인즈버러와 레이놀즈는 영국 왕실의 초상화가로 유명하며, 화풍의 유사점과 차이점으로 미술사에서 많이 거론되는 인물입니다.

	게인즈버러	레이놀즈
화풍	로코코 미술의 우아한 귀족적 분위기	바로크 미술의 웅장한 신화적 분위기
인물화 특징	당대 인물의 특징을 사실적으로 표현	신화에 등장하는 여신과 성인으로 표현
제작 기간	빠르게 완성함	오랜 기간 소요
제작 방법	단독작업	공동작업 : 옷감을 전문적으로 그리는 조수 고용
화가의 성격	낙천적, 즉흥적	완벽주의자, 신중함

영국은 바로크 미술의 웅장함과 역동적인 에너지가 느껴지는 화풍보다 섬세하면서도 귀족적인 화려함이 있는 로코코 미술 작품이 더 많습니다. 그러나 영국 미술을 로코코 미술이 아닌 바로크 미술로 소개하는 까닭은, 미술사학에서 로코코 미술을 프랑스 파리 지역에서 유행한 특정 미술 사조로 보고 있기 때문입니다. 영국은 북유럽 르네상스의 플랑드르 대표화가 브뢰헬의 자연주의적 풍경화와 궁정화가 루벤스의 생동감 넘치는 바로크 화풍의 궁정 초상화 및 프랑스의 우아하고 밝은 분위기의 로코코 미술 모두의 영향을 받았습니다.

게인즈버러 vs 레이놀즈

　영국 바로크 대표 화가 토마스 게인즈버러(Thomas Gainsborough, 1727.5.14-1788.8.2) 그림은 섬세하고 여유 있는 귀족적인 우아함이 특징입니다. 밝고 화사한 색채로 영국 귀족 가문의 평화롭고 한가로운 삶의 모습을 표현했으며, 특히 인물의 특징과 표정을 잘 묘사하면서도 그림을 매우 빨리 쉽게 그려서 왕실의 적극적인 주문 의뢰와 후원을 한 몸에 받았습니다.

[그림 80] (좌) 게인즈버러, <자화상>, 1758-59, 캔버스에 유채, 76.2 x 63.5 cm, 영국 런던 국립초상화 미술관 소장.
[그림 81] (우) 레이놀즈, <자화상>, 1753-55, 캔버스에 유채, 74 x 61.5 cm, 영국 테이트모던 갤러리 소장.

▶ 두 작품은 같은 제목 <자화상>으로 1750년대 비슷한 시기에 그려진 공통점이 있습니다. 그러나 왼쪽 게인즈버러의 <자화상>(1758-59) [그림 80]은 전체적으로 온화한 색채의 부드러운 분위기가 특징인 반면, 오른쪽 레이놀즈의 <자화상>(1753-55) [그림 81]은 어둠 속에 인물의 윤곽선이 음영에 가려져 있고 얼굴의 명암대비가 돋보이는 차이점이 있습니다.

[그림 82] (좌) 게인즈버러, <여배우 사라 시돈스 부인>, 1785, 캔버스에 유채, 126.4 x 99.7 cm, 영국 런던 내셔널 갤러리 소장.
[그림 83] (우) 레이놀즈, <비극적 뮤즈로서의 시돈스 부인의 초상>, 1784, 캔버스에 유채, 236.2 x 146 cm, 개인 소장.

▶ 시돈스 부인을 그린 두 작품은 화풍이 상이합니다. 왼쪽 게인즈버러의 <여배우 사라 시돈스 부인>(1785) **[그림 82]**는 시돈스 부인이 당대에 유행한 상류층의 높은 모자와 실크 의상을 입고 우아한 자태로 앉아 있는 모습으로 표현되었다면, 오른쪽 레이놀즈 <**비극적 뮤즈로서의 시돈스 부인의 초상**>(1784) **[그림 83]**은 시돈스 부인의 어두운 의상과 흰 피부가 대조를 이루며 고전신화에 나오는 여신처럼 당당하고 위엄이 있는 분위기로 표현되어 있습니다.

화풍에 있어서도 차이가 납니다. 게인즈버러의 작품은 격정적인 바로크와 우아하고 온화한 로코코 화풍의 과도기적 작품이라면, 레이놀즈는 극적 명암 대비가 확연한 바로크 화풍을 보여줍니다.

스페인 최고의 궁정 화가
"디에고 벨라스케스"

15장 스페인 바로크 - 벨라스케스

디에고 벨라스케스

Diego   Velazquez
(1599-1660), Spanish.

디에고 벨라스케스 (본명: 디에고 로드리게스 데 실바 이 벨라스케스 Diego Rodríguez de Silva y Velázquez, 1599.6.6-1660.8.6)는 바로크 시대 필립 4세 (스페인어 펠리페 4세, Felipe IV)의 궁정화가였으며, 초상화에 유능한 스페인 예술가 입니다.

벨라스케스는 1599년 스페인 안달루시아 세비야 마을에서 태어났습니다. 그는 어렸을 때부터 미술에 재능을 보였고 12세에 프란시스코 파체코(Francisco Pacheco, 1564-1644)에게 본격적으로 미술을 배웠습니다. 1618년에는 스승의 딸 후안나 파체코(Juana Pacheco, 1602-1660)와 결혼했습니다.

1622년 벨라스케스는 왕의 사제 후안 데 폰세카의 추천서를 받고 마드리드로 떠납니다. 그곳에서 1년 뒤인 1623년 펠리페 4세의 초상을 그리면서 궁정화가로 임명되었고, 평생 왕과 귀족의 모습을 그리며 초상화의 대가로 자리매김하게 되었습니다.

벨라스케스의 사실주의적 인물 묘사와 색채 표현 기법은 19세기 사실주의 예술가 쿠르베와 인상주의 에두아르 마네에게 귀감이 되었습니다.

초기 작품 (1616-1623)

벨라스케스가 세비야에서 활동한 시기, 즉 1623년 세비야에서 마드리드로 이주하여 궁정화가가 되기 전까지의 시기를 초기로 봅니다. 그의 초기 작품은 세비야 마을 사람들의 일상생활 모습을 담은 풍속화가 많습니다. 사실주의에 입각하여 현실을 표현하는 벨라스케스는 당대 이탈리아에서 유행한 카라바조의 바로크 화풍과 유사한 그림을 그렸습니다. 배경이 어둡고 등장인물에 조명 같은 빛이 강하게 빛나며 명암의 대비에 의한 긴장감을 야기하는 화풍은 벨라스케스 초기 작품의 주된 특징입니다.

[그림 84] 벨라스케스, <세비야의 물장수>, 1623, 캔버스에 유채, 106.7 x 81 cm, 영국 런던 앱슬리 하우스 (웰링턴 박물관) 소장.

중기 작품 (1623-1650)

　벨라스케스가 스페인 국왕의 부름을 받고 궁정화가로 활동하는 시기를 중기로 봅니다. 이 시기에 그는 이탈리아로 2번 여행을 떠나는데, 첫 번째는 루벤스의 권고로 1629년부터 1631년까지 로마에 살았고, 두 번째는 1649년부터 1650년까지 이탈리아에서 베네치아의 거장 티치아노 작품에 크게 감명을 받고 미술 공부를 했던 시기입니다. 벨라스케스는 이탈리아 여행을 통해 피렌체 그림의 조각 같은 모델링 기법과 베네치아 티치아노 그림의 따뜻한 색채 감각에 모두 영향을 받았습니다. 그 결과 중기 시대 그림은 초기의 어두운 분위기에 비해 상대적으로 인물의 표정이 부드럽고 색채가 풍부하며 배경이 한층 밝아지는 양상을 띱니다.

　올리바레스 공작은 벨라스케스의 뛰어난 미술 재능을 알고 펠리페 4세에게 벨라스케스를 궁정화가로 임명할 것을 적극적으로 제안했던 인물입니다. 그는 벨라스케스에게 상당한 경제적 지원을 하는 대신 두 가지 조건 (왕가 친척 외의 다른 귀족 가문을 그리지 말 것과 알카사르 궁전 안에서만 그림을 그릴 것)을 제시했고, 벨라스케스는 충직한 신하처럼 마드리드 왕의 알카사르 궁전 내에서 그림을 그리며 일생을 바쳤습니다.

▶ 펠리페 4세는 벨라스케스 외에 그 어떤 유명한 화가도 본인의 초상을 그리지 못하게 할 정도로 벨라스케스를 신임했고, 그가 그린 초상화를 마음에 들어했습니다. [그림 85]

[그림 85] 벨라스케스, <스페인의 펠리페 4세>, 1624-27, 캔버스에 유채, 210 x 102 cm, 스페인 마드리드 프라도 미술관 소장.

후기작품 (1650-1660)

벨라스케스가 이탈리아 여행을 마치고 마드리드로 돌아온 1650년 이후의 시기를 후기로 봅니다. 이 시기에 벨라스케스는 색채의 구사 능력이 더욱 향상됩니다.

그의 그림의 독보적인 특징은 감상하는 위치에 따라 그림이 다르게 보인다는 점입니다. 그의 그림을 멀리에서 감상하면 인물의 사실적인 얼굴과 뛰어난 옷 표현 등이 돋보이지만, 가까이에서 그림을 관찰하면 유화 물감의 얼룩과 붓 터치의 중첩 및 흔들리는 아지랑이 같은 투명한 색채의 조화 등이 마치 추상화를 연상시키는 특징이 있습니다.

그의 초상화 작품은 등장인물이 실재하는 것처럼 사실적으로 정확하게 그려져 있으면서도 물감과 색채의 풍부한 표현이 신기루 같은 허상처럼 느껴진다는 점에서 당대의 다른 예술가들과 차별화 되었고 벨라스케스의 명성을 드높이는 계기가 되었습니다.

[그림 86] 벨라스케스, <후안 데 파레하>, 1650, 캔버스에 유채, 81.3 x 69.9 cm, 미국 뉴욕 메트로폴리탄 미술관 소장.

▶ <후안 데 파레하>(1650) **[그림86]**은 벨라스케스의 조수를 그린 작품입니다. 매우 사실적이면서도 생동감 있게 그려진 이 그림은 <교황 이노센트 10세의 초상>(1650) **[그림 87]**과 함께 벨라스케스의 뛰어난 인물 초상화의 대표적인 예에 해당합니다.

[그림 87] 벨라스케스, <교황 이노센트 10세의 초상>, 1650, 캔버스에 유채, 140 x 120 cm, 이탈리아 로마 도리아 팜필리 궁전 소장.

▶ 교황 이노센트 10세의 생생한 표정과 정교한 옷 주름 및 빛나는 질감 표현은 벨라스케스의 뛰어난 미술적 재능을 입증하는 결과라고 볼 수 있습니다. **[그림 87]**

[그림 88] 벨라스케스, <라스 메니나스 (시녀들)>, 1656, 캔버스에 유채,
318 x 276 cm, 스페인 마드리드 프라도 미술관 소장.

▶ <라스 메니나스 (시녀들)>(1656) **[그림 88]**은 벨라스케스를 상징하는 대표 작품입니다. 벨라스케스의 작업실을 방문한 5세의 마르가리타 공주와 시녀들이 양옆에 보이며, 화가는 그림의 왼편에 붓을 잡고 있는 모습으로 그려져 있습니다. 그림의 한 가운데에 직사각형의 검정 프레임의 거울이 마치 초상화 액자처럼 걸려 있는데, 그 안에 그려진 인물은 바로 왕가 부부인 펠리페 4세와 마리아나 왕비입니다.

<시녀들> 그림은 북유럽 르네상스 **얀 반 에이크**의 <아르놀피니의 결혼식>(1434) **[그림 43]**에서 거울에 대한 상징성이 상당히 유사합니다.

우리는 <시녀들> 그림의 인물 뒤에 그려진 거울의 존재를 짚고 넘어가지 않을 수 없습니다. 원래 거울은 등장인물의 배경에 소품같이 걸려 있는 단순한 물체에 불과했으나, 얀 반 에이크의 그림으로 인해 거울이 무엇인가를 비추는 개념에서 나아가 공간의 확장을 유도하는 중요한 매개체로 쓰이게 됩니다. 벨라스케스도 얀 반 에이크 작품에 영향을 받아 그

[그림 43] 얀 반 에이크, <아르놀피니의 결혼식>, 1434, 패널에 유채, 83.7 x 57 cm, 영국 런던 내셔널 갤러리 소장.

림의 공간에 거울을 넣음으로써 공간감을 드러내고, 감상자와 같은 위치에 있는 사람의 존재도 그림 속에 넣을 수 있는 획기적인 구도의 그림을 표현하게 됩니다.

우리는 화가와 마르가리타 공주를 바라보는 감상자이면서도 가운데 펠리페 4세 부부의 거울에 비친 모습을 마주하면서 불편한 시선을 느끼게 됩니다. 즉 공간의 확장 속에 단순한 관람자가 아닌, 실제 화가의 작업실에 초대받은 것처럼 느끼게 되는 것입니다. 결과적으로 이 그림은 우리가 이들을 보고 있는 것이 아니라, 이들이 우리를 보고 있는 것처럼 역으로 생각하게 만드는 그림이라는 점에서 수수께끼와 같은 매력적인 작품이라고 볼 수 있습니다.

[그림 89] 벨라스케스, <5세 마르가리타의 초상>, 1656, 캔버스에 유채, 105 x 88 cm, 오스트리아 빈 미술사박물관 소장.

▶ 마르가리타(1651-73) 공주는 벨라스케스가 자주 그린 인물이며, 희고 부드러운 살결과 대조적으로 거친 직조의 화려한 의상은 벨라스케스의 치밀한 묘사능력과 관찰력을 모두 보여주는 걸작이라고 할 수 있습니다.

[그림 90] 벨라스케스, <마르가리타의 초상화>, 1660, 캔버스에 유채, 121 x 107 cm, 오스트리아 빈 미술사 박물관 소장.

우아하고 섬세하고 향락적인 미술,
"로코코"

16장 로코코 미술 뜻과 특징 - 와토vs부셰

Antoine   Watteau   François   Boucher
(1684-1721), French.   (1703-1770), French.

로코코 미술 뜻과 특징

　로코코 미술은 17세기 바로크 미술과 18세기 후반 신고전주의 사이에 등장한 미술 양식 입니다. 프랑스에서 시작된 로코코는 루이 15세가 통치한 시기(1715~74)인 1723-74년 동안 파리에서 유행하였으며, 독일과 오스트리아 등 중부 유럽에 영향을 주었고 18세기 말까지 성행했습니다.

'로코코(Rococo)'는 석굴이나 분수를 장식하는 데 쓰이는 조약돌, 혹은 조개 장식을 뜻하는 '로카이유(rocaille)'에서 유래하였습니다. 즉 실내장식품을 의미합니다. 따라서 '로코코 미술(Rococo Art)'은 실내를 진열하는 장식품으로써 우아하고 섬세하고 사치스러운 양식을 지닌 그림을 뜻하는 용어입니다.

미술사에서 흔히 바로크 미술을 전성기 르네상스에 비유하고, 로코코 미술을 매너리즘 (후기 르네상스)에 비유합니다. 이 말은 바로크 미술이 혁신적이고 창의적인 새로운 화풍의 미술이라면, 로코코 미술은 이전의 바로크 화풍을 답습하면서도 매너리즘에 빠진 것처럼 지나치게 기교와 장식에 치우친 비 창작적인 미술 활동이라는 것을 의미합니다. 따라서 우리는 로코코 미술 시기에 활동했던 예술가들의 대표 작품들을 감상하면서 이 시기에 유행한 로코코 미술의 양식적 특징을 알아보는 시간을 갖겠습니다.

로코코 미술 대표 화가

로코코 미술을 대표하는 화가는 총 3명입니다. 로코코 미술의 창시자 역할을 한 장 앙투완 와토, 로코코 미술이 프랑스를 대표하는 미술로 완전히 자리 잡도록 기여한 프랑수아 부셰, 로코코 미술의 절정을 보여준 장 오노레 프라고나르가 대표 화가입니다.

장 앙투안 와토

18세기 프랑스 미술은 두 가지 성향의 미술에 대한 우열논쟁이 있었습니다. 하나는 '푸생 주의'이며, 다른 하나는 '루벤스 주의'입니다. 푸생은 프랑스 바로크의 대표 화가이며 아카데믹의 창시자이자 미술의 고전을 가장 잘 보여준 이상주의적 예술가입니다. 그의 견고한 선 위주의 명암법은 루벤스로 대표되는 색채주의 옹호자들과 팽팽한 대립구도로 이어졌습니다.

그러나 1715년 루이 14세가 사망하고 루이 15세가 즉위하며 미술계의 대립 구도는 루벤스 화풍이 우세하게 되었습니다. 루벤스 화풍이 우세하게 된 데 결정적인 영향을 끼친 화가가 장 앙투완 와토(Jean-Antoine Watteau, 1684.10.10-1721.7.18)입니다.

와토는 <키테라섬의 순례>(1717) **[그림 91]**을 발표하며 화단의 인정을 받았고, 그 결과 와토가 옹호한 '루벤스 주의' 미술이 프랑스 미술 전체를 지배하는 교과서 같은 미술로 자리를 잡게 되었습니다. 이탈리아 베네치아 화풍의 영향을 받은 플랑드르 바로크 대표화가 루벤스의 색채 감각을 수용하면서도 프랑스 특유의 섬세하고 온화한 상류층의 고상한 이미지를 반영하여 새로운 로코코 미술 화풍을 수립하였습니다.

[그림 91] 와토, <키테라 섬의 순례>, 1717, 캔버스에 유채, 129 x 194 cm, 프랑스 파리 루브르 박물관 소장.

▶ 18세기 로코코 미술의 주된 주제는 '페트 갈랑트 (Fête galante), '전원의 축제'입니다. 전원을 배경으로 한 장소에 세련된 복장을 갖춰 입은 남녀 연인들이 춤을 추고 담소하며 유희를 즐기는 모습을 보여주는 그림을 가장 잘 나타낸 작품이 <키테라 섬의 순례>(1717) [그림 91]입니다.

키테라 섬은 사랑을 상징하는 상상속의 섬으로, 미와 사랑의 여신 비너스의 신전이 있는 성지입니다. 비너스 (아프로디테)가 바다 물거품에서 탄생하여 조개껍데기를 타고 파도 위를 이동할 때 바다 아래에서 홀연히 솟아나 비너스를 맞아 주었다는 신화의 섬입니다. 와토는 키테라 섬을 제목으로 한 두 작품을 그렸는데, 그림에서 고대 조각상이 등장하고 연인들의 모습이 우아하면서도 그리스 신화에 나오는 한 장면처럼 고결하고 숭고한 분위기가 느껴지는 특징이 있습니다.

그림을 살펴보면, 중앙에 남녀가 등장하고 남자는 여자의 허리를 감싸 안으며, 여자는 아쉬운 듯 어딘가를 물끄러미 바라보는 모습으로 서 있습니다. 그들 주변에는 많은 연인들이 있으며, 오른쪽 가장자리에 비너스 조각상이 꽃 넝쿨 사이에 위치해 있고, 그 바로 옆에 사랑을 속삭이는 또 다른 남녀 한 쌍이 보입니다. 이 그림은 키테라 섬의 여행을 마치고 나가는 인물들의 아쉬운 심경을 드러내면서도 밝은 색채와 부드러운 명암 표현이 이 작품의 분위기를 엄숙하게 만들지 않는 장점이 있습니다. 또한 한가롭고 평화로운 풍경이 전형적인 상류층 사회의 문화와 잘 어우러져 섬세하고 우아한 화풍을 추구하는 로코코 미술을 잘 대변한다고 볼 수 있습니다.

프랑수아 부셰

　로코코미술을 프랑스의 대표 양식으로 정립한 프랑수아 부셰(François Boucher, 1703.9.29-1770.5.30)는 쾌락적이고 세속적인 남녀의 사랑과 사치스러운 생활의 절정을 보여주는 왕실 문화를 표현한 예술가 입니다. 특히 루이15세의 궁정화가로서 부인 퐁파두르의 화려하고 관능적인 평소의 모습을 그린 초상화는 섬세한 장식 묘사와 함께 당대 상류층의 삶을 여실히 보여주는 부셰의 대표 작품입니다.

[그림 92] 부셰, <목욕하고 나오는 다이아나>, 1742, 캔버스에 유채, 57 x 73 cm, 프랑스 파리 루브르 박물관 소장.

▶ 로마 신화의 디아나 (다이아나)를 그린 <목욕하고 나오는 다이아나>(1742) **[그림 92]**는 에로틱한 나체의 두 여인의 관능미를 느끼게 합니다.

달의 여신 디아나 (아르테미스)는 머리에 초승달 모양의 장신구를 한 채, 자신의 왼발을 옆의 님프 무릎에 대고 있습니다. 사냥을 막 끝낸 듯 그림의 오른편에는 사냥의 흔적이 있으며, 왼편 가장자리에는 화살 통이 넘어져 있습니다. 디아나는 순결을 상징하는 처녀의 신으로서 자신의 주변에 남성이 다가오는 것을 금지했으나, 이 그림을 통해 두 여인의 동성애적 상상을 불러일으킵니다.

부셰의 그림은 와토와 자주 비교되는데, 와토가 인간의 사랑을 신화로 격상하여 우아하고 고상하게 표현했다면, 부셰는 현실적인 향락에 초점을 맞추어 에로티시즘을 부각시켰다는 점에서 차이가 있습니다.

17장 로코코 미술 - 장 오노레 프라고나르 바로크 vs 로코코 차이점 5가지

Jean-Honoré   Fragonard
(1732-1806) French.

장 오노레 프라고나르

장 오노레 프라고나르(Jean-Honoré Fragonard, 1732.4.5-1806.8.22)는 로코코 미술의 완성자이며, 당대 귀족들의 일상생활 모습을 관능적이면서도 쾌락주의적으로 표현한 예술가 입니다.

신화를 표현한 그림조차도 숭고한 신의 이미지가 아닌 실존하는 남녀의 육체적 아름다움을 드러낸 작품이 대부분이었습니다. 특히 젊고 아름다운 연인들이 주인공으로 등장하여 희희낙락 유희를 즐기는 모습과 함께 이를 훔쳐보는 은밀한 시선과 긴장을 야기하는 관음증적인 태도가 드러나는 그림이 프라고나르 화풍의 주된 특징 입니다.

[그림 93] 프라고나르, <그네>, 1767, 캔버스에 유채, 81 x 64.2 cm, 영국 런던 월리스 컬렉션 소장.

▶ <그네>(1767) [그림 93]은 프라고나르의 대표 작품입니다. 그네를 타는 여인은 신발 한 짝이 벗겨질 정도로 그네 타기를 즐기고 있으며, 치맛자락이 바람에 흩날리는 광경을 연출하고 있습니다. 그림에서 그녀를 황홀하게 바라보는 왼편 귀족 애인과 오른편 나무 뒤에 근심어린 표정의 남편이 대치하는 구도로 긴장감 있게 그려져 있습니다. 이 그림은 당대에 유행했던 외설을 주제로 하였고 로코코 미술의 시대상을 반영합니다.

[그림 94] 프라고나르, <도둑 키스>, 1788, 캔버스에 유채, 45 x 55 cm, 러시아 상트페테르부르크 에르미타주 미술관 소장.

▶ <도둑키스>(1788) [그림 94]는 로코코보다 신고전주의에 가깝습니다. 프랑스는 1780년경 이후 향락적이고 가벼운 화풍에 반대하며 사실적이면서도 고전미를 진지하게 탐구하는 신고전주의 미술이 등장합니다.

바로크 vs 로코코 미술 차이점 5가지

1. 어원, 유래

바로크 미술은 '일그러진 진주'를 뜻하는 포르투칼어 'pérola barroca' 의 프랑스 전사인 'Baroque (바로끄)'에서 유래하였고, 로코코미술은 프 랑스어 '조개 장식'을 뜻하는 'Rocaille (로카이유)'에서 유래하였습니다.

2. 발생 시기, 유행 시기

바로크 미술이 유행한 시기는 1600-1750년이고, 로코코미술이 유행한 시기는 1715-1780년입니다. 1750년~1780년대는 후기 바로크와 로코코 미술이 혼재하는 양상을 띱니다.

3. 스타일, 분위기

바로크 미술은 웅장하고 장엄하며, 로코코 미술은 섬세하고 우아합니다. 바로크 미술은 에너지와 힘이 느껴지는 남성적인 예술이고, 로코코 미술은 잔잔한 여운이 느껴지는 여성적인 예술입니다. 바로크 미술이 극적이고 동적이라면 로코코 미술은 차분하고 정적인 미술입니다.

4. 색채

바로크 미술은 강렬한 명암대비와 생동감 있는 색채가 중심입니다. 로코코 미술은 파스텔 분위기의 부드러운 색채와 화사한 분위기가 중심입니다.

5. 미술사적 의의

바로크 미술은 창의적이고 혁신적인 양식으로, 후대 많은 미술사조와 예술가들에게 큰 영향을 주었습니다. 로코코 미술은 현실에 안주하는 경향이 있고 비 창의적인 양식으로, 미술 분야보다 건축과 실내 인테리어 장식의 발달에 영향을 주었습니다.

18장 바로크와 로코코 경계의 미술
- 샤르댕, 베르메르

Jean-Baptiste-   Siméon   Johannes   Vermeer
Chardin   (1699-1779), (1632-1675), Dutch.
French.

장 밥티스트 시메옹 샤르댕

장 밥티스트 시메옹 샤르댕(Jean-Baptiste- Siméon Chardin, 1699.11.2-1779.12.6)은 18세기 로코코 미술이 유행한 시기에 가장 독창적인 풍속화, 정물화를 그린 프랑스 화가 입니다.

당대 만연했던 상류층의 사치주의 풍토와 매너리즘적인 기교에 빠진 로코코 미술에 회의를 느낀 사람들은 이제 서민들의 일상생활의 모습에 눈을 돌리게 됩니다. 당시 노동자의 힘든 삶과 검소한 태도 및 가족에 대한 사랑과 헌신 등의 주제는 귀족의 화려하고 몽상적인 삶과 대조되면서 신흥 중산 계층에게 큰 호응을 얻었습니다. 특히 서민들의 일상생활 모습을 자연스럽고 따뜻하게 그린 샤르댕의 풍속화는 새로운 후원자의 관심과 지지 속에서 급부상하게 되었습니다.

풍속화

샤르댕의 풍속화 주제는 다양합니다. 식사하기, 장보기, 채소 다듬기, 빨래하기, 공부하기, 여가생활 (카드놀이, 비눗방울 불기, 배드민턴 치기, 차 마시기) 즐기기, 기도하기 등 서민들의 하루 일과를 구체적으로 표현하였습니다. 당대 귀족의 사치와 파티 문화, 여행 등의 주제에 싫증을 느낀 중산 계층은 새로운 문화 예술 향유 고객이 되어 소소하고 소박한 일상의 즐거움을 담은 샤르댕의 풍속화에 열광하였습니다.

. ▶ <비눗방울>(1733-35) [그림 95]는 비눗방울을 부는 소년과 뒤에 키 작은 어린이가 비눗방울을 불고 싶어서 쳐다보는 장면이 재미있게 표현된 그림입니다.

[그림 95] 샤르댕, <비눗방울>, 1733-35, 캔버스에 유채, 93 x 74.5 cm, 미국 뉴욕 메트로폴리탄 미술관 소장.

서양에서 비눗방울을 부는 행동은, 비눗방울이 터져서 없어지는 개념으로써, 곧 사라진다는 허무주의, 덧없음을 상징하는 라틴어 '바니타스(Vanitas)'에서 유래합니다. 바니타스는 16-17세기 네덜란드 그림에서 많이 볼 수 있으며, 주로 해골과 모래시계, 썩은 과일 등을 그림으로 그려서 인생의 유한한 삶을 표현하였습니다.

정물화

샤르댕의 정물화는 도상학적 상징을 내포하는 북유럽 르네상스 미술과는 달리 무심한 듯 일상생활의 장면을 있는 그대로 자연스럽게 담은 특징이 있습니다. 즉 무엇인가를 보여주거나 의미를 전달하기 위해 소재를 선택하여 배치하고 그리는 것이 아니라, 테이블 위에 자연스럽게 놓인 있는 그대로의 정물, 동물의 형상을 그림으로 그렸다는 점에서 다른 정물화들과 차이가 있습니다. 또한 사실적이면서도 치밀한 묘사 기교에 치우치지 않고, 빛과 조명이 정물에 자연스럽게 떨어지는 현상을 은은하게 표현하였으며, 수수한 붓질과 따뜻한 색채로 온기를 머금은 듯 포근한 정물화로 느껴지는 특징이 있습니다.

[그림 96] 샤르댕, <도자기 찻주전자가 있는 정물>, 1763, 캔버스에 유채, 47 x 57 cm, 프랑스 파리 루브르 박물관 소장.

요하네스 베르메르

요하네스 베르메르(Johannes Vermeer/ Jan Vermeer 얀 베르메르, 1632.10.31-1675.12.15)는 네덜란드 화가로, 바로크 시기 렘브란트와 더불어 네덜란드 미술의 황금기를 이끈 예술가입니다.

은은한 빛의 표현과 신비한 색채로 고요한 사색의 감성을 자아내는 그림을 그린 베르메르는, 아이러니 하게도 생전 그의 삶에 대해 알려진 바가 거의 없습니다. 카톨릭 집안에서 태어나 1632년 세례를 받았고, 43세에 파산의 충격으로 미망인과 11명의 자녀를 남기고 사망하기 까지 그의 출생지 델프트에서 일생을 살았다는 것뿐입니다.

베르메르의 사후, 후대 미술사학자들에 의해 그림의 가치를 재발견하면서 명성을 얻게 된 그는 역사화보다 인물화, 풍속화로 두각을 나타냈으며, 특히 <진주 귀걸이를 한 소녀>(1665) **[그림 97]**은 역사상 가장 위대한 신비로운 인물화로 손에 꼽는 베르메르의 대표 작품입니다.

[그림 97] 베르메르, <진주 귀걸이를 한 소녀>, 1665, 캔버스에 유채,
44.5 x 39 cm, 네덜란드 헤이그 마우리츠호이스미술관 소장.

▶ 네덜란드의 모나리자로 알려진 <진주 귀걸이를 한 소녀>(1665) 작품은 터번을 두른 이국적인 복장의 여인이 옆을 살며시 돌아보는 순간을 표현한 그림입니다. 그림 속 주인공에 대해 화가의 여인, 또는 딸이라는 의견이 분분하지만, 뚜렷하게 정해진 사실이 없어 수수께끼 같은 신비로운 긴장감이 감도는 그림입니다.

어두운 공간에서 오로지 빛나는 이 여인은 밝고 화사한 의상과 뽀얀 피부, 그윽하고 맑은 눈빛과 반짝이는 입술 등이 정지된 화면처럼 고요하게 그려져 있으며, 마주친 시선은 기쁨과 슬픔의 묘한 감정이 한 데 어우러져 복잡한 감정을 전달하고 있습니다. 표정을 알 수 없는 이 여인의 시선을 바라본 우리는 이내 그녀의 시선을 피해 어둠속에서 영롱하게 빛나는 진주 귀걸이에 머물게 되고, 다시 그녀의 눈으로 시선을 돌림으로써 많은 여운을 느끼게 되는 것입니다.

[그림 98] 베르메르, <우유를 따르는 여인 (부엌의 하녀)>,
1660, 캔버스에 유채, 45.5 x 41 cm,
네덜란드 암스테르담 국립미술관 소장.

▶ 베르메르의 <우유를 따르는 여인 (부엌의 하녀)>(1660) **[그림 98]**의 인물은 마치 정물화를 보는 것 같습니다. 부엌에서 일 하는 하녀가 우유를 따르는 순간을 표현한 이 작품은 인물의 행동에서 동적인 에너지가 부각되거나 생동감 있는 긴장감보다는 고요하면서도 사색의 세계로 우리를 초대합니다.

이 그림은 우유를 따르는 사람의 행동에서 앞으로 쏟아지는 우유의 사실적인 표현력이 돋보이지만, 그보다 우리는 인물의 옷 색상, 즉 노랑과 푸른색의 선명한 대조와 공간에 넓게 퍼지는 은은한 색채, 그리고 왼쪽 창문에서 들어오는 빛에 더 주목하게 됩니다. 창문에서 흘러들어오는 사색의 빛이 실내에 비추어 공간에 따스하게 스며들면서 우리는 말로 형언할 수 없는 신비로운 이 장면에 몰입하게 됩니다. 빛과 색채의 어우러짐 속에 명상을 하는 듯 눈을 낮게 내린 그림 속 여인의 모습에서 우리는 움직임과 생생함보다 정지된 순간을 경험하게 되며, 인물이 정물 및 풍경과 일체가 되어 전체적인 하나의 고결한 그림으로 인식되는 것입니다.

베르메르의 작품은 총 35-40점에 불과해서 늘 신비로운 베일에 가려진 인상을 줍니다. 이러한 점에서 오늘날까지 베르메르의 미술사적인 위상을 높게 평가할 수 있는 것입니다.

3부 신고전주의, 낭만주의 -
이성과 감성의 대립

남성적이고 강건한 "다비드",
여성적이고 부드러운 "앵그르"

19장 신고전주의 - 다비드, 앵그르

Jacques-Louis David (1748-1825), French.

Jean Auguste Dominique Ingres (1780-1867), French.

자크 루이 다비드

자크 루이 다비드(Jacques-Louis David, 1748.8.30-1825.12.29)는 18세기 말에서 19세기 초 프랑스 화단을 지배했던 신고전주의 대표 예술가입니다. 그는 프랑스혁명을 지지한 급진개혁파였으며, 당대의 시대상황을 정확하게 파악하고 철저하게 시대에 부응하며 전략적인 그림을 그린 화가입니다.

다비드의 그림은 신고전주의 미술의 이념을 대표하는 전기 작품과, 나폴레옹 황제의 수석화가로 궁정에 지내면서 그린 후기 작품으로 나누어 볼 수 있습니다. 전기는 고전고대의 양식에 입각하여 질서정연하고 엄숙한 이상주의 화풍이 특징이라면, 후기 작품은 사실주의적이면서도 황제의 취향을 반영하여 화려하고 장식적인 화풍이 등장합니다.

상이한 두 화풍에도 불구하고 다비드의 작품은 그림 속 인물이 상징하는 이념이 국가의 희생정신을 강조하거나 또는 신격화 되어 표현되었다는 공통점을 지니며, 사실주의적 묘사에 입각한 표현 기법을 사용했다는 점도 같습니다.

다비드는 1775년부터 1780년까지 로마에 머물며 고전 미술을 공부했습니다. 이 시기에 그는 카라바조, 안니발레 카라치, 니콜라 푸생 등 바로크 미술 거장들의 작품을 보고 현실의 상황과 고전의 이상을 동시에 반영한 새로운 화풍을 구축하였습니다.

로마 유학 프랑스로 돌아온 다비드는 위대한 걸작 두 그림을 완성하는데, 하나는 <호라티우스 형제의 맹세>(1784)이며, 다른 하나는 <소크라테스의 죽음>(1787)입니다. 두 작품은 신고전주의 미술을 대표하는 명작으로서 그리스 로마 시대의 조각 작품이 지니는 견고한 인체 표현과 질서정연한 분위기가 특징입니다.

[그림 100] 다비드, <호라티우스 형제의 맹세>, 1784, 캔버스에 유채,
330 x 425 cm, 프랑스 파리 루브르 박물관 소장.

▶ <호라티우스 형제의 맹세>(1784) [그림 100]은 적을 무찌르지 못하면 죽음을 택하겠다고 맹세하는 호라티우스 가의 삼형제의 비장한 결의가 표현된 작품입니다. 이 작품은 자기희생을 강조하는 당대의 사회 분위기를 잘 반영하고 있습니다. 프랑스 혁명으로 사치와 허영으로 얼룩져 있던 귀족 세력이 물러난 후 새로운 질서와 금욕주의 가치관이 프랑스에 등장하였고, <호라티우스 형제의 맹세>는 곧 국가의 이념을 반영한 상징적인 작품이 되었습니다. 인물들의 경직된 형상과 배경의 아치형 로마 건축물

의 곡선형은 대조적이면서도 화면에서 조화를 이루며 기념비적인 역사화의 한 장면처럼 거룩하게 표현되었으며, 인물들의 엄숙한 표정과 행동은 조국에 대한 헌신을 강조하는 당대의 혁명사상과 직결됩니다.

[그림 101] 다비드, <소크라테스의 죽음>, 1787, 캔버스에 유채,
130 x 196 cm, 미국 뉴욕 메트로폴리탄 미술관 소장.

▶ <소크라테스의 죽음>(1787) **[그림 101]**에 등장하는 철학자는 경직되고 단단한 조각상 같은 형태로 표현되어 있습니다. 마치 **니콜라 푸생의** <아르카디아에도 나는 있다>(1637-38) **[그림 67]**의 조각적인 인체 모델링과 유사합니다. 이 그림에서 유일하게 생동감을 자아내는 것은 배경에 대각선으로 들어오는 빛의 표현입니다. 엄숙한 적막을 깨는 대각선의 빛은 이탈리아 바로크 거장 카라바조의 극적인 연출에 의한 명암 기법에 영향을 받은 것으로 보입니다.

<소크라테스의 죽음>은 사형의 위기에 처한 소크라테스가 독약을 마시려고 하는 극적인 상황을 표현한 그림입니다. 그러나 그림 속 주인공인 소크라테스의 모습에서는 어떤 긴장감과 공포가 느껴지지 않습니다. 대각선으로 들어오는 빛으로 인해 오히려 위대한 철학자의 연설을 보는듯한 장면으로 연출된 이 그림은, 마치 최후의 만찬에서 열두 제자에게 자신의 죽음을 알리는 예수 그리스도의 초연한 모습을 연상케 합니다.

다비드는 이 그림을 통해 공포와 긴장감을 사실적으로 표현하면서도 감정에 동요하지 않고 종교화와 같이 숭고한 인물로 표현함으로써 자신의 그림을 신격화 하였습니다. 이는 신고전주의 미술의 절대적인 이념이 되었습니다.

다비드는 실제로 프랑스 혁명에 적극적으로 가담한 인물이었습니다. 혁명이 성공을 거두자 다비드의 명성 또한 프랑스 미술계에 상당한 영향력을 행세하게 됩니다. 이 무렵 다비드는 <마라의 죽음>(1793) **[그림 102]**를 그립니다.

▶ <마라의 죽음>은 당대 프랑스 혁명을 이끈 유명한 지도자이자 저널리스트였던 장 폴 마라(Jean Paul Marat, 1743-93)가 반 혁명파 샤를로트 코르데이(Charlotte Corday, 1768-93)라는 젊은 여성에게 자신의 욕조에서 암살당한 사건을 그린 작품입니다.

[그림 102] 다비드, <마라의 죽음>, 1793, 캔버스에 유채, 165.1 x 128.3 cm, 벨기에 브뤼셀 벨기에 왕립미술관 소장.

마라는 살해당하기 전 악성 피부병으로 수증기 치료를 받고 있었습니다.

그래서 나무판을 책상으로 삼아 욕조에서 집필 업무를 하고 있던 중 샤를로트 코르데이가 청원서를 들고 찾아옵니다. 마라가 그녀에게 건네받은 청원서에 서명을 하려는 순간 그녀는 마라를 살해합니다.

이러한 극적인 사건을 통해 다비드는 자신의 목숨을 바친 영웅의 최후를 직설적으로 표현하면서도 국가적인 차원에서 희생정신을 기념하는 역사적인 의미를 동시에 담고 싶었습니다. <마라의 죽음>은 죽음의 공포와 긴장감이 느껴지면서도 인물의 표정과 자세에서 절제된 감정에 의한 엄숙한 숭고미가 종교화처럼 드러나는 점이 특징입니다.

마라의 머리에 둘러진 흰 수건은 그리스도의 후광을 연상케 하고, 마라의 축 늘어진 자세와 얼굴의 표정은 이탈리아 바로크 대표 화가 안니발레 카라치의 <피에타>(1599-1600) [그림 63]과 유사합니다. 순교자와 같은 마라의 모습에서 우리는 경외심과 연민의 감정을 느끼게 됩니다. 또한 사실주의적 치밀한 묘사와 여백이 갖는 적막감과 엄숙

[그림 63] 안니발레 카라치, <피에타 : 그리스도를 애도하는 성모>, 제단화, 1599-1600, 캔버스에 유채, 155 x 149 cm, 이탈리아 나폴리 카포디몬테 미술관 소장.

함 속에서 마라의 죽음에 대한 고통보다 시공간을 초월한 종교적 신념과 연결된 경건한 분위기를 더 느끼게 됩니다.

급진주의자 로베스피에르와 친구였던 다비드는 1800년경 로베스피에르가 모함에 의해 힘을 잃고 사형을 당하자 그 또한 위기에 몰리며 투옥됩니다. 그러나 정치 상황을 발 빠르게 인지한 다비드는 나폴레옹의 신임을 얻고 나폴레옹의 수석 궁정화가로 임명되었습니다. 이 시기 다비드의 위대한 걸작 <1804년 12월 2일 교황 바오7세의 나폴레옹 황제의 축성과 조세핀 황후의 대관식>(1807) [그림 103]은 다비드가 혁명기 시기, 즉 그의 초기 작품에 즐겨 사용하던 단순한 구도 대신 황제의 취향에 맞춰 화려하고 장식적인 분위기로 그렸음을 알 수 있습니다.

[그림 103] 다비드, <1804년 12월 2일 교황 바오7세의
나폴레옹 황제의 축성과 조세핀 황후의 대관식>, 1807,
캔버스에 유채, 621 x 979 cm, 프랑스 파리 루브르 박물관 소장.

▶ <1804년 12월 2일 교황 바오7세의 나폴레옹 황제의 축성과 조세핀 황후의 대관식>(1807) **[그림 103]**은 교황 바오7세의 입회하에 파리 노트르담 대성당에서 거행된 나폴레옹 황제의 대관식을 나타낸 그림 입니다. 전체적으로 웅장함과 위엄을 갖춘 분위기가 느껴지며, 각각의 인물은 실존하는 인물의 실제 얼굴로 그려져 있습니다. 화려한 장식과 밝은 색채가 돋보입니다.

나폴레옹의 열렬한 지지를 받은 다비드의 작품은 고전의 부활이라는 의의를 지니지만, 인물의 표정에 지나치게 감정이 배제되어 생동감이 결여되고 현실적이지 않다는 한계를 극복하지 못했습니다. 1815년 워털루전투에서 나폴레옹이 패하자 다비드는 브뤼셀로 망명합니다. 말기의 다비드는 신화를 주제로 한 그림을 그렸습니다.

장 오귀스트 도미니크 앵그르

18세기 근대미술은 미술의 역사에서 큰 전환점이 되는 시기 입니다. 그 이유는 14-15세기 이탈리아 피렌체에서 시작된 미술의 부흥 운동이 16-17세기 로마를 거쳐 18-19세기 프랑스 파리로 이동했기 때문입니다.

이제 미술의 중심지는 이탈리아에서 프랑스로 옮겨졌습니다. 전 세계의 예술가들이 아카데믹 화풍을 배우기 위해 프랑스 파리에 몰려들었고, 파리 몽마르트 카페는 예술인들의 집결지이자 미술의 본질을 토론하는 장소가 되었습니다. 그 결과 자연스럽게 예술에 대한 새로운 개념들이 싹 트게 되었습니다. 이 시기에 등장한 신고전주의는 근대미술의 태동을 알리는 기점이 되는 미술사조입니다. 특히 19세기 전반 신고전주의 미술의 유행을 주도한 화가는 바로 장 오귀스트 도미니크 앵그르(Jean Auguste Dominique Ingres, 1780.8.29-1867.1.14)입니다.

앵그르는 다비드의 제자로 고전주의 미술 기법을 배웠습니다. 그는 다비드의 신고전주의 화풍을 이어받아 그가 지도하는 제자들에게 대상을 정밀하게 묘사하고 즉흥성과 무질서를 경계하라고 가르쳤습니다.

◀ [그림 104] 앵그르, <앉아 있는 무아테시에 부인의 초상>, 1856, 캔버스에 유채, 120 x 92.1 cm, 영국 런던 내셔널 갤러리 소장.

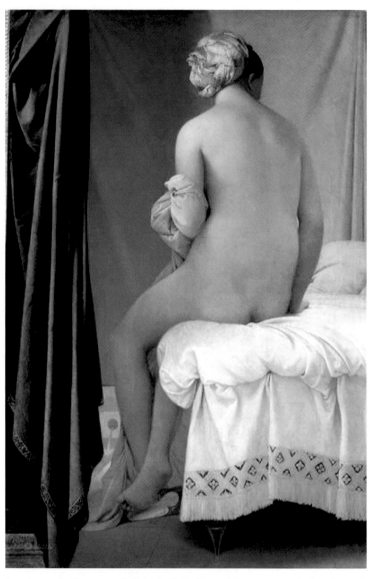

[그림 105] 앵그르, <발팽송의 목욕하는 여인>, 1808, 캔버스에 유채, 146 x 97.5 cm, 프랑스 파리 루브르 박물관 소장.

앵그르의 <발팽송의 목욕하는 여인>(1808) **[그림 105]**는 구도에 있어서 엄격함과 질서정연함, 그리고 형태의 치밀한 묘사가 돋보이는 그의 대표 작품입니다. <발팽송의 목욕하는 여인>은 실제로 앉아 있는 여인의 뒷모습이라고 착각할 정도로 매끈한 피부와 침대 시트 및 커튼 주름의 사실적인 표현이 돋보입니다.

이 그림의 원제는 '앉아 있는 여인'이었습니다. 그러나 이 그림의 초기 소장자인 '발팽송'의 이름을 붙여서 <발팽송의 목욕하는 여인>이 되었습니다. 그림 속 여인의 피부는 매끄럽고 붓질의 흔적 또한 느껴지지 않아서 마치 정지된 사진처럼 보이기도 합니다. 우리는 그녀의 이국적인 터번을 통해 동양 (중동지역)에 대한 호기심을 반영했음을 알 수 있습니다.

어릴 때부터 신동이었던 앵그르는 11세에 미술학교에 입학했고, 17세에는 다비드 화실의 제자로 활동했습니다. 당시 스승 다비드가 운영한 화실은 붓질이 드러나지 않도록 매끈하고 정교하게 그리는 것이 목표였습니다.

그러나 앵그르는 다비드의 사실주의적 미술 기법을 성실하게 배우면서도 르네상스의 거장 라파엘로의 섬세함과 우아한 분위기의 예술을 선호했습니다. 그 결과 여성의 관능미를 부각시키는 새로운 화풍을 구축하였습니다. 앵그르의 작품은 다비드의 그림처럼 형태를 강조하는 고전주의 미술 기법이 드러나지만 한편으로는 후기 르네상스에 해당하는 매너리즘적인 성향이 드러나는 특징을 갖고 있습니다. 이를 입증하는 대표 작품은 <오달리스크>(1814) **[그림 106]**입니다.

[그림 106] 앵그르, <그란데 오달리스크>, 1814, 캔버스에 유채, 91 x 162 cm, 프랑스 파리 루브르 박물관 소장.

▶ 앵그르의 <그란데 오달리스크>(1814) **[그림 106]**을 보면 이상적인 신체의 비례와 형태를 강조했던 전성기 르네상스의 화풍이 아닌 여인의 인체가 기이하게 늘어나 있음을 알 수 있습니다.

또한 인체 표현에 있어서 골격이나 근육 등이 느껴지지 않을 정도로 매끈하게 처리되었다는 점에서 매너리즘에 가까운 그림입니다. 비평가들은 <오달리스크> 그림을 향해 척추 뼈의 수가 너무 많게 그려져 있고, 지나치게 작은 머리와 상대적으로 길게 그려진 허리의 기이한 비례를 지적했으며, 살아있는 사람이 아닌 것 같다고 비판했습니다.

그럼에도 불구하고 앵그르의 그림을 신고전주의 대표 미술로 거론하는 까닭은, 전통 미술 기법인 양감과 명암법에 근거하여 인물의 생생한 피부 결과 천의 질감을 실재감 있게 치밀하게 잘 표현했기 때문입니다. 그녀의 머리에 두른 터번의 상세한 문양과 시트 주름의 굴곡진 묘사에서 우리는 앵그르의 미술 실력이 얼마나 뛰어났는지를 가늠할 수 있을 것입니다.

앵그르는 여성 누드화뿐만 아니라 인물 초상화도 뛰어났습니다. 그의 작품들은 실존 인물의 얼굴을 정확하게 재현하면서도 이상화된 아름다움이 느껴지고, 전체적인 화면 구성에 있어서 균형 잡힌 구도와 섬세한 묘사가 돋보입니다.

[그림 107] 앵그르, <브롤리 공주의 초상>, 1853, 캔버스에 유채, 121.3 x 90.8 cm, 미국 뉴욕 메트로폴리탄 미술관 소장.

▶ <브롤리 공주의 초상>(1853) [그림 107]은 사진처럼 사실적인 인물의 형태와 화려한 푸른색 드레스 옷 주름의 생생한 묘사 및 색채의 아름다움은 앵그르 초상화의 진수를 보여줍니다. 빳빳한 옷감 재질과 부드러운 살결의 대조적인 표현은 인물의 우아미와 관능미를 부각시키고 있으며, 결이 고운 머릿결과 부드럽게 흘러내리는 리본 장식 등의 섬세한 표현 및 붓 자국 하나 없는 매끄러운 도자기 같은 피부 표현에서 앵그르의 초상화에 대한 진면목을 느낄 수 있습니다.

지금까지 신고전주의 대표 화가 자크 루이 다비드와 그의 제자 장 오귀스트 도미니크 앵그르의 작품에 대해 살펴봤습니다. 다음 장에서는 신고전주의와 대비되는 낭만주의 미술에 대해 알아보겠습니다.

20장 낭만주의 - 외젠 들라크루아

Eugène   Delacroix
(1798-1863), French.

외젠 들라크루아

외젠 들라크루아(Eugène Delacroix, 1798.4.26-1863.8.13)는 19세기 낭만주의 미술을 대표하는 프랑스 예술가 입니다. 들라크루아는 베네치아 르네상스의 색채 위주의 감성적인 화풍에 큰 영향을 받았습니다. 그의 작품은 생동감 있는 붓 터치와 감각적인 색채가 특징적입니다.

그러나 들라크루아의 작품은 격정적인 감정을 표현한 바로크 화풍과는 분명히 다릅니다. 왜냐하면 바로크 미술은 인물의 감정을 극도로 표출하고 극적인 생동감과 긴장감을 통해 작품에 내재된 이야기를 전달하고자 했지만, 들라크루아 그림은 이야기 전달에 목적이 있는 것이 아니라 화려한 색채와 역동적인 구성으로 이루어진 회화의 경이로움에 초점을 맞추어 내용보다 그림의 표현 기법에 중점을 두고 있기 때문입니다.

따라서 우리는 들라크루아의 그림이 낭만주의 미술을 대표한다고 해서 인물의 고통과 슬픔, 또는 기쁜 생각 등의 감정을 낭만적으로 표현했다고 판단하지 않아야 합니다. 들라크루아는 생생한 회화 작품을 표현했다는 점에서 다른 미술사조와 차별화 됩니다. 이러한 미술사학적인 의의가 있는 낭만주의 미술 대표화가 들라크루아는 후대 인상주의 미술 발달의 모태가 되었습니다.

[그림 108] 들라크루아, <단테의 배 (지하 세계의 단테와 버질)>, 1822, 캔버스에 유채, 189 x 241.5 cm, 프랑스 파리 루브르박물관 소장.

▶ 들라크루아가 24세에 그린 <단테의 배 (지하 세계의 단테와 버질)>(1822) **[그림 108]**은 살롱 전에 출품한 첫 그림이자 입선의 명예를 얻은 작품입니다. 그림 속 빨간 두건을 두른 인물이 단테이고, 그 옆은 베르길리우스와 노를 젓는 플레기아스 입니다. 배 밑에는 지옥에 떨어진 망자들이 구원해 달라고 절규하는 모습으로 뒤엉켜 표현되어 있습니다.

[그림 109] 들라크루아, <사르다나팔루스의 죽음>, 1827, 캔버스에 유채, 392 x 496 cm, 프랑스 파리 루브르박물관 소장.

▶ 백성을 아끼던 고대 아시리아의 왕 사르다나팔루스가 반란군에게 패한 후 화형에 처하자, 그의 충실한 애첩들이 함께 따랐다는 이야기를 왜곡되게 표현한 들라크루아의 <사르다나팔루스의 죽음>(1827) [그림 109]는 살롱 전에 출품한 당대 큰 논란을 야기했던 그림입니다. 그림 속 사르다나팔루스는 애첩들이 살해당하는 광경을 물끄러미 지켜보며 극적인 긴장감과 어지러운 광경 속에 유일하게 평온한 모습으로 형상화 되어 있기 때문입니다.

이국적인 화려한 장식과 여인들의 공포에 질린 표정, 그리고 이들을 폭력으로 제압하는 남자들의 근육질 몸, 붉은 천 등은 낭만주의 미술의 성향을 대변하고 있으며, 원작의 왜곡적인 표현은 예술가의 창작에 기반 하는 의도된 연출임을 알 수 있습니다.

▶ <민중을 이끄는 자유의 여신>(1830) [그림 110]은 프랑스 7월 혁명을 주제로 제작된 작품입니다. 7월 27일부터 29일까지 3일 동안 일어난 7월 혁명은, 왕정복고로 돌아온 부르봉 왕가의 샤를 10세를 축출한 시민혁명입니다. 프랑스 혁명의 연장선상에서 민중의 자유와 대치되는 왕정 세력을 물리치는 데 크기 기여하고 프랑스의 자유를 상징하는 기념비적인 작품이라 할 수 있습니다.

이 작품에서 눈여겨 볼 부분은 선동하는 여인의 모습입니다. 혁명이라는 긴박한 상황에서 옷이 반쯤 흘러내린 채 한 손에는 무기를 들고 다른 손에는 자유, 평등, 박애를 상징하는 프랑스 깃발을 잡고 민중을 이끄는

[그림 110] 들라크루아, <민중을 이끄는 자유의 여신>, 1830, 캔버스에 유채, 260 x 325 cm, 프랑스 파리 루브르박물관 소장.

이 여인은, 실제 사람이라기보다 그녀 자체가 자유를 상징하는 여신이라는 것을 알 수 있습니다.

자유를 상징하는 여신은 사람들이 쓰러져 고통스러운 모습과 봉기하는 민중들의 긴장감 넘치는 표정과 대조적으로 굳건한 모습으로 상황에 크게 동요하지 않은 채 마치 다른 세상에 존재하는 품격을 보여주고 있습니다. 들라크루아는 이처럼 실제 사건을 배경으로 하면서도 신화, 전설의 알레고리를 활용하여 프랑스 낭만주의를 대표하는 예술가입니다.

우리는 왜 하필이면 들라크루아가 역사, 신화, 종교라는 내레이션이 강한 주제를 작품화하여 사람들에게 그림에서 무엇인가를 꼭 읽어야만 할 것 같은 분위기를 유도했는가에 대한 의문을 품지 않을 수 없습니다. 차라리 드넓은 풍경이나 반대로 아기자기한 소품 정물로 회화의 가치에 대해 논했으면 그의 회화 표현 기법 의도를 훨씬 더 이해하는 데 쉽지 않았을까 생각해봅니다.

그러나 당대의 시대적 상황을 고려했을 때, 과거부터 내려오던 의례와 같은 미술의 전통, 즉 미술은 국가와 궁정에 소속되어 국가의 위상과 인물의 위엄을 높이기 위한 수단으로써 활용되거나, 중산계층의 후원에 의한 주문 의뢰의 형태로 제작되었던 수동적인 개념이 아닌, 회화를 단독으로 보는 들라크루아의 생각은 그 자체만으로도 혁신적인 발상이라고 볼 수 있습니다. 들라크루아는 회화가 수단에 불과했던 현실에서 벗어나고자 부단하게 노력한 화가이며, 비록 그의 작품이 주제의 측면에서 전통을 답습하는 한계가 있을 지라도, 회화를 독자적인 양식으로 인식하고 예술가의 지위를 높이는 데에 크게 기여했다는 점에서 의의와 가치를 높게 평가할 수 있겠습니다.

21장 영국 낭만주의 - 윌리엄 터너

Joseph   Mallord   William
Turner (1775-1851), British.

조지프 말로드 윌리엄 터너

조지프 말로드 윌리엄 터너(Joseph Mallord William Turner, J.M.W. Turner, 1775.8.23-1851.12.19)는 영국 낭만주의를 대표하는 예술가 입니다. 터너는 불이나 폭풍우 같은 드라마틱한 자연 풍경 그리기를 좋아했습니다. 그의 그림은 역동적인 에너지 가득한 환상적인 풍경이 빛나는 색채와 붓 터치로 표현된 특징이 있습니다.

초기 작품 (~1819) : 성장기

런던의 가난한 이발사 아들로 태어난 터너는 학교에 다니지 않고 아버지가 운영하는 이발소에서 손님들의 초상화를 그리거나 마을 풍경 모습을 그렸습니다. 그의 꾸준한 그림 그리기는 1790년 당시 15세의 나이에 권위 있는 미술 왕립아카데미에 전시할 수 있는 기회로 이어졌습니다. 그리고 이 전시를 계기로 터너는 왕립아카데미의 회원이 되어 그림을 열심히 배웠습니다.

터너의 초기 작품은 주로 사실적인 형태의 건물과 바다 풍경 모습입니다. 그의 그림은 곧 많은 사람들에게 인기를 끌었고, 터너는 큰돈을 벌 수 있었습니다. **[그림 111]**

터너는 1802년 당시 나이 27세에 왕립 아카데미의 정회원이 되었고 활발한 개인전 활동으로 큰 명성을 얻었습니다.

[그림 111] 터너, <링컨 대성당 교회>, 1795, 캔버스에 유채, 45 x 35 cm, 영국 런던 대영박물관 소장.

[그림 112] 터너, <난파선>, 1805, 캔버스에 유채, 171 x 240 cm, 영국 런던 테이트 모던 미술관 소장.

특히 파도 위에 흔들리는 어선의 모습을 긴장감 있게 표현한 작품은 당대 큰 인기를 얻었습니다. [그림 112]

왕립아카데미의 정회원은 영국을 대표하는 화가라는 명예를 얻는 것이며, 많은 젊은 예술가들의 염원과도 같은 상징적인 의미를 지닙니다. 터너가 화가로서의 명성을 이어간 이 시기 그의 작품은 사실적이면서도 은은한 빛을 구사한 풍경화가 주를 이룹니다.

중기 작품 (1819~1839) : 과도기

1819년 이탈리아 여행을 시작으로 10년에 한 번씩 즉, 1829년, 1839년에 걸쳐 유럽 여행을 다녀온 시기를 터너의 중기 작품 시기로 봅니다. 초기 작품 시기에 살펴본 것처럼 터너는 이미 영국의 명실상부한 예술가였습니다.

그러나 터너는 현실에 안주하지 않았습니다. 그는 이탈리아로 여행을 다녀온 후 뜨거운 태양 아래 밝게 빛나는 고대 로마 유적과 베네치아의 반짝이는 물의 일렁거림에 매료됩니다. 따라서 그는 여행을 통해 느꼈던 야생적인 풍경의 인상을 떠올리며 밝게 빛나는 색채로 그리기 시작합니다.

터너는 점차적으로 빛과 색채를 부각시키는 새로운 풍경화를 그려나갔습니다. 그의 새로운 풍경화는 자연을 나타냈다기보다 거대한 소용돌이 붓질에 의해 역동성을 지니고, 안개 빛 자욱한 수증기를 통해 마치 자연이 신기루 같은 허상의 이미지로 느껴지는 특징이 있습니다.

그의 새로운 풍경화가 주는 또 다른 특징은, 기존의 낭만주의 화가들의 그림이 전반적으로 어두웠던 것과 달리, 환하게 빛나는 밝은 색채로 표현되었다는 점입니다. 그의 작품에서 형상은 흰색 물감과 혼합된 붓질로 아른거리게 번져 흐릿하게 보이며, 바람을 형상화한 밝은 색채의 소용돌이는 태양이 내리쬐는 광경처럼 환하게 빛나는 특징이 있습니다.

[그림 113]

[그림 113] 터너, <바다에서의 화재>, 1835, 캔버스에 유채,
171.5 x 220.5 cm, 영국 런던 테이트 모던 미술관 소장.

후기 작품 (1840-1851) : 완성기

터너의 후기 작품은 거의 추상화에 가깝고 흰색과 노랑, 밝은 갈색이 한 데 어우러져 빛나는 물감으로 형상화된 특징이 있습니다. 비평가들이 터너의 추상화 같은 풍경 그림을 난해하다고 비판하자, 터너는 사람들과 연락을 끊고 은둔생활을 했습니다. 그의 마지막 유언은 "문을 열어라. 석양을 바라보며 죽고 싶다."였다고 합니다.

[그림 114] 터너, <노예선>, 1840, 캔버스에 유채, 90.8 x 122.6 cm, 미국 텍사스 휴스턴 미술관 소장.

22장 독일 낭만주의 -
카스파 다비드 프리드리히

Caspar David Friedrich
(1774-1840), Germany

카스파 다비드 프리드리히

카스파 다비드 프리드리히(Caspar David Friedrich 카스파르 다비드 프리드리히, 1774.9.5-1840.5.7)는 독일 낭만주의를 대표하는 화가 입니다. 영국 낭만주의 화가 터너와 비슷한 시기에 활동한 프리드리히는 특히 위대한 자연을 관망하는 인간의 상념을 담은 풍경화를 통해 독일 회화의 위상을 높이는 데 크게 기여하였습니다.

프리드리히 작품은 계절의 변화에 따른 자연의 모습과 거대한 풍경을 감상하는 인간의 전지적 시점을 표현한 그림이 주를 이루고 있습니다. 특유의 적막함을 통해 인간의 존재와 운명에 대한 철학적 사유의 세계로 초대하는 프리드리히 그림은 독일 낭만주의 미술을 상징하는 본보기가 됩니다.

아마도 프리드리히 그림의 이러한 상념적인 특징은 그의 어린 시절 죽음에 대한 경험과 연결되는 측면이 있을 것이라고 생각합니다. 프리드리히는 해안가 작은 마을 그라이프스발트에서 10남매 중 6째로 태어났습니다. 그는 어린 시절부터 죽음과 친숙했습니다. 어머니 소피 도로테아 베힐리(Sophie Dorothea BEchly)는 프리드리히가 7세 되던 해에 세상을 떠났습니다. 일 년 뒤 1782년에는 누이 엘리자베트가 죽었고, 1787년에는 동생 요한 크리스토퍼(Johann Christoffer)가 얼음이 언 호수에 빠져 익사했습니다.

프리드리히는 1790년 그라이프스발트의 대학 교수 요한 고트프리트 크비스토르프(Johann Gottfried Quistorp)로부터 미술을 처음 배웠고, 1794년 미술대학으로 명성이 높은 코펜하겐 미술 아카데미를 다녔습니다. 그는 1798년 아카데미 졸업 후 드레스덴으로 이주하여 본격적으로 예술가로 활동하였습니다. 1816년에는 드레스덴 미술대학의 교수가 되었습니다.

[그림 115] 프리드리히, <바닷가의 수도승 (해변의 수도승)>, 1808-10,
캔버스에 유채, 110 x 171.5 cm, 독일 베를린 국립미술관 소장.

▶ 하늘과 바다가 그림 전체를 거의 압도하고 인간의 모습은 아래에 아
주 작게 표현되어 있는 <바닷가의 수도승 (해변의 수도승)>(1808-10)
[그림 115]는 위대한 자연에 비해 인간의 존재란 얼마나 나약한가를 느
끼게 하는 작품입니다.

프리드리히가 그린 하늘과 바다는 흐리면서도 짙은 안개처럼 뿌옇게 처리되어 있는데, 이는 그의 어린 시절 가족의 죽음을 통해 정서적으로 우울했던 심경을 반영한 것으로 보입니다.

이 그림을 한참 보고 있으면 황량하고 어지러웠던 마음이 점차적으로 차분해지고 가라앉는 느낌을 받게 되는데, 그 이유는 인간의 자연에 대한 경외심과 두려움 및 외로움, 방황 등의 복합적인 갈등 심리가 바다로 대변되는 짙은 푸른색 속으로 침잠하여 두려운 감정을 정화하고 걸러주기 때문입니다. 뿌연 하늘에서 느꼈던 답답한 마음이 바다라는 심리를 치유하는 사색의 공간으로 이동하기 때문에 우리는 이 그림을 보고 신비로운 치유의 정서를 느끼게 되는 것입니다.

▶ 안개 자욱한 산 절벽 위에 한 남자가 뒷모습으로 풍경을 바라보고 서 있는 모습을 그린 <안개 바다위의 방랑자>(1818) **[그림 116]**은 카스파 다비드 프리드리히의 최고의 걸작으로 손에 꼽는 유명한 작품입니다.

[그림 116] 프리드리히, **<안개 바다 위의 방랑자>**, 1818, 캔버스에 유채, 94.8 x 74.8 cm, 독일 함부르크 미술관 소장. ▶

주인공인 남자는 절벽 바위와 유사한 짙은 녹색 옷을 입고 오른손에 지팡이를 잡고 몸을 지탱하고 있으며, 바다와 하늘의 경계가 허물어진 짙은 안개 낀 공간 속에 비장한 자세로 서 있습니다. 그는 한 치 앞을 알 수 없는 안개 낀 공간과, 끝도 없이 펼쳐진 바다 앞에서 어디로 향해야 할지 방황하고 갈등하는 심경을 드러내고 있습니다.

이 그림을 통해 우리는 거대한 자연 앞에서 인간의 존재에 대해 근본적인 물음을 갖게 되고, 치유와 사색을 통해 자연에 대한 경외심, 숭고함을 함께 느끼게 됩니다.

▶ <북극해>(1824) [그림 117]은 1819~20년에 윌리엄 페리가 북극을 탐험하던 중 위험했던 상황을 그림으로 형상화한 작품입니다. 그림에서 얼음은 마치 백돌이나 기왓장처럼 여러 겹으로 쌓여 건축물의 구조를 이루고 있으며, 어떠한 미동도 허용하지 않은 채 고요함과 적막감을 안겨주고 있습니다.

이 그림을 바라보는 우리는 거대한 자연의 힘에 위압감을 느끼고 이에 굴복할 수밖에 없는 인간의 존재와 운명에 대해 생각해보게 됩니다.

[그림 117] 프리드리히, <북극해>, 1824, 캔버스에 유채, 97.8 x 128.2 cm, 독일 함부르크 미술관 소장.

"황야조차도 신의 손길이
닿지 않는 곳이 없다."
- 토마스 콜 -

23장   미국 낭만주의 - 토마스 콜

토마스 콜

Thomas Cole (1801 - 1848), American.

　미국 낭만주의 화가 토마스 콜(Thomas Cole, 1801.2.1-1848.2.11)에 대해 아마도 모르시는 분들이 더 많을 것 입니다. 토마스 콜은 비교적 짧은 생애를 보낸 화가이고, 미국 낭만주의 미술은 유럽에 비해 덜 알려진 측면이 있기 때문입니다.

　미국 풍경화의 역사는 사실 토마스 콜과 함께 시작되었다고 해도 과언이 아닙니다. 토마스 콜은 영국 출신으로 미국 국립 아카데미의 창시자이자 허드슨 강 유파의 리더 입니다. 허드슨 강 유파(The Hudson River School)란, 낭만적 사실주의 풍경화의 한 종류를 의미합니다. 자연에 대한 숭배 의식을 바탕으로 이상화된 구도와 미화된 자연 풍경의 사실적인 세부 묘사가 특징입니다.

1801년 영국에서 태어난 토마스 콜은 17세에 1818년 미국 필라델피아로 이주했습니다. 앞서 영국 낭만주의 대표 화가 터너의 그림에 대해 살펴보았듯이, 영국은 18세기 말부터 이미 낭만주의 풍경화가 유행하고 있었습니다. 빛과 색채의 감각적인 풍경을 그린 터너 외에도 사실주의적인 기법으로 영국 풍경을 세밀하게 묘사한 컨스터블 화가도 있었습니다. 토마스 콜은 영국의 낭만주의풍경화 기질을 이어받아 미국 땅에서 장대하고 경이로운 자연의 드넓은 모습을 그리기 시작합니다.

　　토마스 콜은 허드슨 강이 보이는 강변에 살았습니다. 독학으로 미술을 공부한 콜은 봄, 여름, 가을에 주로 허드슨 강 주변을 산책하며 연필로 자연 풍경을 스케치하였고, 겨울에 특정 장소에 대한 기억이 희미해질 때쯤 허드슨 강가의 분위기를 담은 그림을 유화물감으로 표현했습니다.

[그림 118] 토마스 콜, <여름 황혼>, 1827, 캔버스에 유채, 58.42 x 48.9 cm, 개인 소장.

1829년과 1834년에는 영국과 로마를 여행하며 고대 건축물과 풍경화를 심도 있게 관찰했습니다.

사실주의적 풍경과 기억의 잔상이 혼재된 양상으로 표현된 그의 그림은 이상과 현실을 옮겨놓은 듯 신비로운 분위기를 자아냅니다. 그는 원근법을 활용하여 근경의 나무와 건물의 외관을 자세하게 묘사하고, 원경의 하늘과 산언덕 등은 흐릿하게 표현함으로써 광활한 미국의 자연을 효과적으로 나타냈습니다. 또한 빛나는 색채를 활용하여 종교적인 분위기를 유도하였습니다. 그에게 자연은 종교와도 같은 안식처이며, 자연을 그리는 행위는 마음의 정화를 상징하는 의미를 담고 있습니다. 종교적인 숭고함과 함께 위대한 자연의 모습을 사색하는 분위기는 미국 낭만주의 풍경화를 상징하는 표본이 되었습니다.

[그림 119] 토마스 콜, <제국의 과정 : 황폐>, 1836, 캔버스에 유채,
100 x 160.7 cm, 미국 뉴욕 역사 협회 공립도서관 소장.

▶ 토마스 콜은 웅장하고 아름다운 허드슨 강가의 모습을 그리는 한편, 사람들의 이주와 산업발달로 훼손된 자연의 모습을 담기도 했습니다. <제국의 과정 : 황폐> (1836) [그림 119]는 문명이 완전히 몰락하여 폐허의 잔재만 남은 마을의 모습을 표현한 작품입니다. 이 그림을 통해 우리는 문명 발달에 따른 산업화가 자연에 위기를 가져올 수 있으며, 인간의 행위가 자연에 끼치는 영향에 대해 생각해 볼 수 있습니다.

[그림 120] 토마스 콜, <타이탄의 잔>, 1833, 캔버스에 유채, 49 × 41 cm, 미국 뉴욕 메트로폴리탄미술관 소장.

▶ 거인의 잔'으로 불리는 <타이탄의 잔>(1833) **[그림 120]**은 거대한 고블릿 잔이 자연 풍경을 압도하며 자리를 차지하고 있습니다. 거대한 잔의 틈 사이로 표현된 드넓은 자연은 어디까지가 하늘이고 산인지 알 수 없을 정도로 무한한 공간처럼 보입니다. 고블릿 잔 안쪽에는 물이 담겨 있으며 물줄기가 아래로 흘러나와 계곡물과 연결됩니다. 작품의 크기는 크지 않지만 확장된 자연 풍경의 묘사와 큰 잔의 물줄기의 흐름이 무한한 가능성을 상징하는 미국의 미래를 암시하고 있어서 뉴욕 메트로폴리탄 미술관의 인기 있는 작품 중에 하나입니다.

[그림 121] 토마스 콜, <옥스보우 : 매사추세츠주 노샘프턴의 홀리요크 산에서 천둥번개가 친 후의 모습>, 1836, 캔버스에 유채, 130.8 x 193 cm, 미국 뉴욕 메트로폴리탄 미술관 소장.

▶ <옥스보우 : 메사추세츠주 노샘프턴의 홀리요크 산에서 천둥번개가 친 후의 모습>(1836) [그림 121]은 번개가 치고 폭우가 내린 날의 홀리요크 산의 모습을 표현한 작품입니다. 그림 왼쪽에 번개를 맞아 쓰러진 듯 한 구부러진 나무는 번갯불에 번쩍이는 모습으로 형상화 되어 있으며, 하늘의 어두운 구름 형상은 앞으로 지속될 폭우를 상징합니다. 반면에 오른쪽 풍경은 맑고 환한 하늘과 평온하게 흐르는 강줄기 및 끝없이 펼쳐지는 평야의 모습을 담고 있습니다. 이러한 좌우의 대조적 표현은 그림에 역동성을 더하며 신비로운 분위기를 자아냅니다.

[그림 122] 토마스 콜, <건축가의 꿈>, 1840, 캔버스에 유채, 136 x 214 cm, 미국 오하이오 톨레도 미술관 소장.

▶.<건축가의 꿈>(1840) **[그림 122]**는 원근법에 입각하여 일렬로 길게 배열된 그리스로마 건축과 그 뒤로 희미하게 보이는 피라미드 구조의 이집트 건축, 그리고 왼쪽의 고딕양식의 건축을 연상케 하는 뾰족한 성당을 커튼이 달린 장소에서 바라보는 형상으로 그려진 작품입니다.

토마스 콜은 치밀하고 섬세한 사실주의적 표현과 함께 커튼이라는 상징적인 소재를 통해 이 장면이 현실인지 꿈의 세계인지 모호하게 만들고 있습니다. 커튼을 젖히면 보이고 드리우면 감춰지는 이 풍경은 실재하는 자연과 예술가의 기억에 있는 유토피아의 세계를 함께 의미하며, 다양한 건축물을 한 공간에 배치함으로써 미화된 풍경화, 즉 이상을 꿈꾸는 예술가가 추구하는 삶을 표현한 미국의 사실주의적 낭만주의 미술 양식을 대표하는 작품이라고 해석할 수 있습니다.

지금까지 낭만주의 미술, 프랑스 외젠 들라크루아, 영국 윌리엄 터너, 독일 프리드리히, 미국 토마스 콜 작품에 대해 살펴봤습니다.

4부 사실주의, 자연주의 -
현실과 자연의 재발견

"천사를 실제로 본 적이
없기 때문에 그릴 수 없다."
- 구스타브 쿠르베 -

24장 사실주의 - 쿠르베, 휘슬러

Gustave Courbet (1819-77), French.

James Abbott McNeill Whistler (1834-1903), American.

프랑스 사실주의
장데지레 구스타브 쿠르베

장데지레 구스타브 쿠르베(Jean-Désiré Gustave Courbet, 1819.6.10-1877.12.31)는 프랑슈콩테 주 오르낭에서 부유한 농민의 아들로 태어났습니다. 쿠르베는 1835년 왕립고등학교 리세(Lycée)와 근교 사립 미술학원에서 그림을 배웠습니다. 원래 법대를 가기 위해 1840년 파리로 이주했으나, 곧 법학 공부를 포기하고 화가가 되기로 결심합니다.

1847년에는 네덜란드를 여행하면서 네덜란드 바로크의 거장 렘브란트의 인물화와 스페인 바로크 미술에 영향을 받고 본인만의 새로운 화풍을 구축하기 시작했습니다. 이 무렵부터 쿠르베는 사실주의적 형상과 색채가 가미된 새로운 미술 양식을 선보이게 됩니다.

"천사를 실제로 본 적이 없기 때문에 그릴 수 없다"며 천사 그림의 주문 의뢰를 단번에 거절한 쿠르베의 유명한 말에서 알 수 있듯이, 그는 철저하게 눈에 보이는 현실만을 그렸고, 당대 서민의 삶과 그들이 처한 환경을 여과 없이 그대로 표현하는 사실주의 미술을 추구했습니다.

초기작품 (1835~1847)

[그림 124] 쿠르베, <검정개와 함께 있는 자화상>, 1841, 캔버스에 유채, 46.3 x 55.5 cm, 프랑스 파리 프티 팔레 미술관 소장.

쿠르베가 그림을 배우기 시작한 1835년경부터 1847년 네덜란드로 여행가기 전 까지를 초기 작품시기로 봅니다. 그의 초기 작품은 낭만주의 미술을 연상하게 하는 풍경화가 많습니다. 자연의 아름다운 모습을 신비로운 빛과 따뜻한 색채로 표현한 점이 특징입니다.

▶ <검정개와 함께 있는 자화상>(1841) **[그림 124]**는 22세의 쿠르베 자화상 입니다. 얼굴의 섬세한 표정과 강아지 털의 치밀한 묘사, 그의 바지에 있는 격자무늬, 거기에 더해 배경의 풍경 표현 등은 당대 쿠르베의 우수한 미술 실력을 입증합니다.

중기작품 (1847-65)

쿠르베가 네덜란드로 여행을 떠난 1847년부터 1865년까지 사실주의 미술의 절정을 보여준 시기를 중기작품 시기로 봅니다.

그는 네덜란드 여행에서 영감을 받은 바로크 미술, 그리고 18세기 말에서 19세기 초에 만연했던 신고전주의 양식과 당대 유행했던 낭만주의 화풍을 모두 혼합하여 사실주의라는 독자적인 화풍을 창조하였습니다.

이 시기 그는 자화상을 제외한 풍속화, 인물화 그림을 거대한 크기로 제작하여 보는 사람들로 하여금 압도하는 분위기를 느끼도록 했습니다. 그 이전까지 큰 사이즈의 그림은 주로 역사화, 종교화, 궁정 초상화 등에만 해당되었습니다. 그러나 쿠르베는 전통적인 규범을 깨고 사회 노동자 계층과 일반인들의 생활 모습을 큰 캔버스에 그림으로써 역사화와 종교화처럼 그의 그림이 기념비적으로 보이도록 유도하였으며, 사실적이면서도 구체적으로 그려서 당대 빈부격차가 만연한 현실을 간접적으로 비판하는 등 사회적 이목을 끄는 데 앞장섰습니다. 중기 대표 작품은 <오르낭의 매

장>(1849-50), <만남 : 안녕하세요, 쿠르베 씨>(1854) **[그림 126]**이 있습니다.

[그림 125] 쿠르베, <자화상 : 파이프를 물고 있는 남자>, 1848-49, 캔버스에 유채, 45 × 37 cm, 프랑스 몽펠리에 파브르 미술관 소장.

▶ 그의 30세 <자화상: 파이프를 물고 있는 남자>(1848-49) **[그림 125]**는 바로크 미술 분위기가 느껴집니다. 명암의 대비와 연출된 조명 같은 효과는 초기와 다른 중기 작품의 특징입니다.

▶ 기존의 쿠르베 그림은 어두운 배경이 주를 이루었지만, <만남: 안녕하세요, 쿠르베 씨>(1854) **[그림 126]**부터 색이 밝아집니다. 사실주의에서 인상주의로 넘어가는 과도기에 해당하는 작품으로 볼 수 있습니다. 기존의 쿠르베 그림의 전형적인 특징인 일상생활에서 마주하는 현실 장면을 표현했다는 점에는 변함이 없습니다.

　이 그림은 엄격하면서도 사실적인 모델링에 치우쳤던 신고전주의와 색채 위주의 감성을 인물과 자연에 투영한 낭만주의 미술과 확연한 차이를 보입니다.

[그림 126] 쿠르베, <만남 : 안녕하세요, 쿠르베 씨>, 1854, 캔버스에 유채, 129 x 149 cm, 프랑스 몽펠리에 파브르 미술관 소장.

그림을 조금 더 살펴보면, 그림 오른쪽에 가방을 메고 지팡이를 잡고 있는 인물이 화가 쿠르베이고, 맞은편 초록색 옷을 입은 말끔한 차림의 남자는 쿠르베의 후원자 브뤼야 입니다. 보통 자신의 그림을 구입하는 후원자에게 예의를 갖추는 반면에, 쿠르베의 행동에는 어떠한 고개 숙임이나 존경의 표현이 없이 마치 친구를 만난 것처럼 당당하고 자신감이 넘치는 것이 특징입니다.

후기작품 (1865-77)

쿠르베는 후기에 주로 풍경화, 정물화를 그렸습니다. 풍경화 작품은 그림에 인물이 등장한다고 해도 중기 시대처럼 거대한 화면에 크게 자리잡은 인물이 아닌, 풍경의 일부처럼 작게 표현되어 있는 점이 특징입니다.

[그림 127] 쿠르베, <폭풍우가 치는 바다>, 1869, 캔버스에 유채, 117 x 160.5 cm, 프랑스 파리 오르세 미술관 소장.

그는 초기에도 풍경화를 그렸습니다. 그러나 초기의 풍경화가 낭만주의 미술 이념에 입각한 부드럽고 따뜻한 색채위주의 그림이라면, 후기의 풍경화는 다소 공허하고 사색적인 풍경화가 많습니다. 눈에 띄는 점은 우선 배경 공간이 넓습니다. 또한 색상도 이전보다 밝은 색채로 표현되어 있는 것이 특징입니다.

후기의 풍경화는 특정 장소를 상징하는 건물이나 나무를 자세히 묘사해서 중심 소재로 부각시키는 방식이 아니라, 전체적인 화면 구성과 조화에 중점을 두어 어느 한편에 치우치지 않은 자연을 담은 풍경화로 보이도록 그려진 점이 특징입니다. 그의 후기 풍경화는 어찌 보면 인상파 그림과 유사합니다. [그림 127]

▶ 쿠르베는 후기에 풍경화뿐만 아니라 정물화도 그렸습니다. <사과와 석류가 있는 정물>(1871) [그림 128]은 세잔의 정물화를 연상케 합니다.

쿠르베의 그림은 이후 등장하는 인상주의 미술에 지대한 영향을 끼쳤으며, 후기 인상주의를 대표하는 정물화의 아버지 폴 세잔에게도 큰 영향을 줍니다.

[그림 128] 쿠르베, <사과와 석류가 있는 정물>, 1871, 캔버스에 유채, 44.5 x 61 cm, 영국 런던 내셔널 갤러리 소장.

[그림 129] 휘슬러, <녹색과 장미의 조화 : 음악실>, 1860-61, 캔버스에 유채,
6.3 x 71.7 cm, 개인 소장.

미국 사실주의 제임스 애벗 맥닐 휘슬러

제임스 휘슬러(James Abbott McNeill Whistler, 1834.7.14-1903.7.17)
를 한 마디로 정의하면 '검은색을 잘 쓴 화가' 라고 말 할 수 있습니다.

서양미술사에서 검은색을 적극적으로 구사한 화가는 3명 있습니다. 스
페인 바로크 미술을 대표하는 벨라스케스, 인상주의 미술의 선구자 마네,
그리고 미국 사실주의를 대표하는 화가 휘슬러 입니다.

일반적으로 미술에 있어서 '검정'은 회피해야 할 색으로 알려져 있습니
다. 왜냐하면 색을 칠할 때 밝은 원색부터 사용해야 그림이 어두워지거나
탁하지 않고, 덧칠할 때 수정할 수 있기 때문입니다. 따라서 그림을 배우
는 예술가는 검은색을 최후에 사용하는 색, 더 이상 수정이 불가능한 마
지막 색으로 인식하고 가급적 그림에 사용하지 않는 관례를 따랐습니다.

그러나 휘슬러는 과거의 전통적인 그리기 방식을 과감하게 깨고, 오히
려 검은색을 적극적으로 사용하여 가장 독창적이고 아름다운 예술 작품을
나타냈습니다.

휘슬러는 미국에서 태어나 1855년 당시 나이 21세에 프랑스 파리에
갔습니다. 파리에서 쿠르베의 사실주의 작품을 접했고 유사한 화풍의 인
물화를 그렸습니다.

▶ <모자를 쓴 휘슬러의 초상>(1857-59) [그림 130]은 쿠르베의 <자화상: 파이프를 물고 있는 남자>(1848-49) [그림 125]와 화풍이 유사합니다. 휘슬러의 '자화상'은 '초상화'의 개념으로 제목을 붙인 점이 흥미롭습니다.

[그림 130] 휘슬러, <모자를 쓴 휘슬러의 초상>, 1857-59, 캔버스에 유채, 46.3 x 38.1 cm, 개인 소장.

휘슬러는 파리에서 인상주의 대표 화가 드가와 마네를 만나 그림 공부도 했습니다. 이 시기 휘슬러의 그림은 사실적인 묘사력이 보다 정교해지고 색채도 훨씬 밝아지게 됩니다. [그림 129], [그림 131] 참고

[그림 125] 쿠르베, <자화상 : 파이프를 물고 있는 남자>, 1848-49, 캔버스에 유채, 45 x 37 cm, 프랑스 몽펠리에 파브르 미술관 소장.

[그림 131] 휘슬러, <흰색 교향곡 1번 : 조안나 히퍼난의 백인 소녀 초상>, 1862, 캔버스에 유채, 214.6 x 108 cm, 미국 워싱턴 D.C. 국립 미술관 소장.

▶ <흰색 교향곡 1번: 조안나 히퍼난의 백인 소녀 초상>(1862) [그림 131] 제목에서 알 수 있듯이 음악과 미술의 결합은 당시 혁신적인 개념이었습니다. 이는 음악성을 보여주는 작품을 표현한 것이 아니라 미술 작품에 어떠한 내적인 의미를 찾지 않기를 바라는 휘슬러의 의도된 제목 붙이기를 의미하는 것입니다. 휘슬러는 흰 옷 입은 소녀에 음악 제목을 붙임으로써 더 이상 어떤 추가적인 의미를 해석하거나 문학적인 내용을 연상하지 못하도록 차단했습니다.

살롱 전에 여러 번 낙방한 휘슬러는 프랑스와 자신이 맞지 않는다고 판단하고 곧바로 영국 런던으로 떠났습니다. 영국에서 휘슬러의 가장 위대한 그림 <회색과 검은색의 배열 1번>(1871) **[그림 132]**가 탄생합니다.

▶ '화가의 어머니'로 더 유명한 <회색과 검은색의 배열1번>(1871) 그림은 제목에서 알 수 있듯이, 이 그림의 주인공이 누구인지가 중요하지 않습니다.

그림 속 인물은 측면을 향해 앉아 있으며 검은색 원피스와 흰 레이스가 달린 블라우스를 입고 머리에 아이보리색 두건을 쓰고 있습니다.

[그림 132] 휘슬러, <회색과 검은색의 배열 1번, 화가의 어머니>, 1871, 캔버스에 유채, 144.3 x 162.5 cm, 프랑스 파리 오르세 미술관 소장.

　화면 왼쪽 커튼은 반짝이는 재질의 검정에 가까운 색채로 표현되어 있으며, 배경 공간 위에는 검정 프레임에 흰 여백이 가미된 액자가 나란히 걸려 있습니다. 오른쪽 끝에 보이는 액자는 의도적으로 잘려 있으며, 배경은 회색으로 표현되어 있습니다. 이 그림은 화가가 원했던 것처럼 무채색의 향연이 주를 이루고 있으며, 흰색, 회색, 검은색의 미묘한 변화와 질감의 차이가 이 그림을 돋보이게 하는 조형요소입니다.

휘슬러의 야경 시리즈

휘슬러는 미국에서 태어났지만 영국에서 가장 오래 활동한 화가입니다. 또한 그는 미국 사실주의 대표화가로 알려져 있으나, 그의 '야경 시리즈' 는 사실주의 미술 보다 인상주의 미술에 가깝습니다.

[그림 133] 휘슬러, <녹턴: 블루 앤 골드 - 사우샘프턴 워터>, 1872, 캔버 스에 유채, 50.5 x 76.3 cm, 개인 소장.

▶ 휘슬러의 <녹턴: 블루 앤 골드 - 사우샘프턴 워터>(1872) [그림 133]은 우리에게 너무나 유명한 모네의 <인상: 해돋이>(1872) [그림 138]을 연상케 합니다. 모네의 그림을 통해 우리는 휘슬러의 그림이 당 대에 얼마나 어둡고 획기적인 반항을 불러일으켰을지 알 수 있습니다.

[그림 134] 휘슬러, <녹턴 : 블루 앤 골드 - 올드 배터시 브리지>, 1872-75, 캔버스에 유채, 66.6 x 50.2 cm, 영국 런던 테이트 브리턴 소장.

휘슬러는 '예술을 위한 예술 (Art for Art's Sake)'을 주장하며 그의 그림에 어떤 상징적인 의미를 내포하거나 설명하는 것을 거부하였습니다. 이는 과거부터 내려오는, 미술이 무엇인가를 그리는 수단으로 인식된 전통 규범에 위배되는 사고입니다.

휘슬러에게 있어서 회화란 다양한 형태와 색채로 구성된 평면 예술이었습니다. 그는 그림이 그 자체로 보이기를 원했습니다. 무엇을 그리기 위한 수단으로써의 그림이 아닌 독자적인 예술 작품이라는 의미를 부여한 것입니다.

그가 유일하게 상징성을 추구한 것은 바로 음악성인데, 특히 그의 '야경 시리즈'는 클래식 녹턴 음악을 연상케 하는 제목과 추상적인 표현력으로 19세기 구상주의 미술이 만연한 미술계에 새로운 영향력을 주었으며, 뜨거운 추상을 대표하는 현대 추상미술의 선구자 바실리 칸딘스키(Wassil Kandinsky, 1866-1944) 추상미술에 모태가 되었습니다.

25장 자연주의 - 밀레

장 프랑수아 밀레

Jean-FranÇois   Mlillet
(1845-46) France.

　장 프랑수아 밀레(Jean-François Millet 1814.10.4-1875.1.20)는 프랑스 북서부 노르망디의 그레빌 아그(Gréville-Hague)에 있는 농촌 마을 그뤼시(Gruchy)에서 태어났습니다. 이곳에서 밀레는 자연스럽게 어린 시절부터 주변 농부들의 삶을 관찰할 수 있었어요.

　1833년 아버지의 권유로 초상화가 '폴 뒤무셸(Paul Dumouchel)'로부터 그림을 배우기 시작합니다. 1837년에는 파리로 이사하면서 유명한 국립 미술 대학 '에꼴 데 보자르(École des Beaux-Arts)'를 다녔고, 루브르 박물관에서 니콜라 푸생 작품에 감명을 받아 그의 작품을 심도 있게 연구하였습니다.

1849년 6월, 파리에 콜레라가 유행하자 교외 지역 몽텐블로 숲속에 자리한 바르비종 마을로 이동하였으며, 이때부터 밀레는 농촌풍경과 농민들의 생활 모습을 그리는 전원화가의 삶을 살게 됩니다.

　　밀레의 대표 작품인 <이삭 줍는 사람들>(1857) **[그림 135]**, <만종>(1857-59) **[그림 136]** 등은 바로 그가 바르비종 지역에서 생활한 1850년대 이후에 탄생하는 것이지요.

[그림 135] 밀레, **<이삭 줍는 사람들>**, 1857, 캔버스에 유채, 84 x 111 cm, 프랑스 파리 오르세 미술관 소장.

미술비평가 클락(Clark)은 'The Absolute Bourgeois (1848-51)' 에서 밀레의 작품에 대해 노동 (매일 해야 하는 일상)을 숭고함과 웅대함으로 승화시켰다고 평가한 바 있습니다. 당시 사회는 산업발달로 빈부의 격차가 심화되어 농촌 서민들의 삶은 더욱 어려운 환경에 놓여 있었어요. 그래서 서민의 일상생활 모습을 당대의 계층 문제와 결부하여 현실적인 모습으로 표현하는 사실주의 미술 양식이 대두됩니다.

[그림 136] 밀레, <만종>, 1857-59, 캔버스에 유채, 55.5 x 66 cm,
프랑스 파리 오르세 미술관 소장.

그러나 밀레는 농촌 풍경과 사람들의 모습을 주제로 한 작품을 사실에 입각하여 그렸지만, 당대 사회를 날카롭게 풍자하기 보다는 우아하고 고요한 자연의 고귀한 정서로 승화시켜 내적 울림을 느끼게 하는 자연주의 미술양식을 표방하였습니다.

따라서 그의 작품은 힘든 농민의 삶의 애환보다는 기품 있는 절제된 숭고미를 담고 있으며, 시간이 멈춘 듯 한 고요한 시간 아래 놓인 인물들의 견고한 형태에서 당대 사회의 문제점을 해결하고자 하는 강인한 힘을 느낄 수 있는 것이 미술사적인 의의이자 밀레 작품의 큰 특징이라 할 수 있겠습니다.

사실주의 vs 자연주의

　밀레 화풍에 대해 사실주의와 자연주의에 대한 논의가 분분합니다. 여기서 두 미술 양식을 비교 대조하겠습니다.

사실주의

　19세기 중반에 시작된 '사실주의(Realism)'미술은 프랑스 신고전주의와 낭만주의 다음에 등장한 미술 사조입니다. 사실주의는 눈에 보이는 현실 세계를 객관적이고 꾸밈없이 있는 그대로의 모습으로 보여주는 것을 목표로 하는 미술 양식이에요.

　사실주의는 신화, 종교적인 이상주의 입장에 반기를 들고 현실에 주목하여, 당대의 빈곤한 서민의 삶, 노동자의 모습 등을 그림의 주제로 표현했어요.

자연주의

　'자연주의(Naturalism)' 미술은 르네상스 초기 시대부터 있었어요. 다만 1840년 경 등장한 사실주의에 영향을 받은 프랑스 바르비종파 화가 밀레가 농촌 풍경과 인물들의 생활 모습을 그리면서 자연주의가 대두됩니다.

　자연주의는 '자연'을 예술과 삶의 모태, 원천으로 보고, 자연 풍경을 그림의 소재로 선택하여, 자연과 함께 하는 인물의 평화로운 모습을 표현하는 것을 목표하는 미술사조 예요.

　자연주의는 사실주의와 마찬가지로 전통 명암법을 고수하고 있고 실생활을 그렸다는 점에서 두 미술 양식이 유사점이 있지만, 그리는 목적과 주제의 측면에서 볼 때 자연주의는 자연과 농촌의 평화로운 모습이 중심이고 사실주의는 인간의 실제 생활에 드러나는 번민과 힘든 삶의 모습에 초점을 맞췄다는 점에서 자연주의와 사실주의는 차이점이 있습니다.

미술사조	사실주의	자연주의
유사점	전통적인 명암법 고수, 실생활 모습을 표현함	
차이점	빈곤한 서민의 생활 모습과 노동자의 고통을 드러냄	자연이 주제이고, 농촌 풍경의 평화로운 모습을 드러냄

5부 인상주의 :
빛과 색채의 아름다움

26장　인상주의 뜻

인 상 주 의　뜻

인상주의(Impressionism)는 직관적 반응, 찰나의 순간을 의미하는 '인 상'에서 비롯된 용어입니다. 르네상스 이후 최초의 총체적인 미술혁신 운 동으로서, 1860년에서 1890년경 까지 프랑스에서 발생한 미술사조입니다.

인상주의는 전통적인 미술 규범인 원근법, 명암법, 안정적 구도 등을 반대하고 빛과 색채의 시각적 표현을 추구하였습니다. 또한 신화, 역사화, 종교화처럼 과거의 이상과 전통을 찬양하는 미술 방식을 거부하고, 현 시 대의　시시각각 변화하는 자연을 기록하고, 일상에서의 즐거움을 표현하 고자 했습니다.

▶ [그림 137] 클로드 모네, <일본식 다리>, 1899, 캔버스에 유 채, 93 x 74 cm, 미국 뉴욕 메트로폴리탄 미술관 소장.

'인상주의' 용어는 1874년 처음 사용되었습니다. '무명협동협회 제 1회 전시'에 소개된 클로드 모네(Claude Monet, 1840.11.14-1926.12.5)의 <인상 : 해돋이>(1872) **[그림 138]**을 본 미술평론가 르루아가 '인상주의 자들의 전시회' 라는 글을 쓰면서 '인상주의' 가 본격적으로 알려지게 되었습니다. 당시 무명협동협회에는 모네, 르누아르, 드가, 세잔, 시슬레, 피사로 등 현재 우리에게 잘 알려진 예술가들이 있었습니다.

[그림 138] 모네, **<인상 : 해돋이>**, 1872, 캔버스에 유채, 48 x 63 cm, 프랑스 파리 모르모탕미술관 소장.

'무명협동협회'는 1874년 4월 15일 부터 5월 15일까지 제 1회 인상주의 미술 전시회를 엽니다. 당시 프랑스는 아카데믹한 화풍을 고수하는 살롱 전을 통해 작품을 발표하는 전통이 있었습니다. 그러나 모네를 비롯한 르누아르, 드가, 시슬레, 피사로, 세잔 등의 화가들은 예술가의 개성을 중시하는 새로운 화풍을 추구하고 싶어 했기에 살롱 전에 작품을 출품하기 어려웠습니다. 따라서 그들은 무명협동협회 그룹을 결성하여 자신들의 새로운 회화를 선보이는 전시를 계획합니다. 그리고 '무명협동협회 제1회' 전시를 계기로 '인상주의' 미술을 널리 알리게 되었습니다.

27장 인상주의 4대 화가 - 마네, 모네, 르누아르, 드가

Eduard Manet, French (1832-1883)

Claude Monet (1840-1926), French.

에두아르 마네

　'인상주의'라는 용어는 클로드 모네의 <인상: 해돋이>(1872) **[그림 138]**에서 시작되었지만, 진정한 의미에 있어서 인상주의 선구자는 에두아르 마네(Edouard Manet, 1832.1.23-1883.4.30)입니다. 마네는 이전의 전통 미술 관념을 과감하게 거부하고 파격적이면서도 새로운 형식의 그림을 선보였습니다. 당대 많은 비난을 받았지만, 그의 작품에 내재된 주제와 형식의 혁신성은 현대예술로 나아가는 데 발판을 마련했다는 점에서 의의를 지닙니다.

◀ **[그림 139]** 에두아르 마네, <발코니>, 1869, 170 x 124.5 cm, 캔버스에 유채, 프랑스 파리 오르세 미술관　소장.

마네는 1865년 살롱 전에 <올랭피아>(1863) **[그림 140]**을 출품하여 당대 큰 논란을 야기했습니다. 마네의 작품을 본 사람들은 심지어 그의 그림을 찢으려고 까지 했어요. 살롱 전에 낙선한 마네의 작품은 '낙선전'에 전시되어 대중들에게 공개되었습니다.

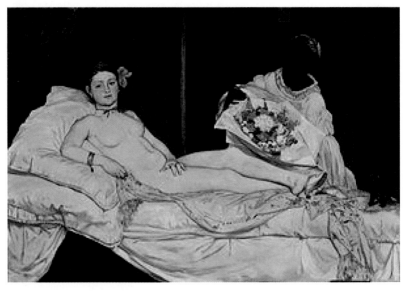

[그림 140] 마네, <올랭피아>, 1863, 캔버스에 유채, 130x191cm, 프랑스 파리 오르세 미술관 소장.

마네의 <올랭피아>를 사람들이 비난한 까닭은 첫째, 관습화된 전통적인 주제에서 벗어났기 때문입니다. 제목에서 알 수 있듯이 그림 속 여인은 '매춘부'이다. 그녀의 검은 리본 띠의 목걸이와 발밑에 있는 상서롭지 못한 검은 고양이, 낡은 슬리퍼 등에서 그녀가 하류 여성임을 짐작할 수 있습니다. 또한 그녀의 옆에 서 있는 흑인 하녀가 들고 있는 꽃다발은 전날 다녀간 어떤 남성이 올랭피아에게 선물한 것으로, 그녀가 남자와 관계된다는 점에서 매춘부임을 암시합니다. <올랭피아> 그림은 절제와 이상미를 강조하는 전통적인 미술의 누드화와 거리가 먼 작품입니다. 즉 이상화된 미의 여신이나 신화가 아닌 현실 여성을 표현했기 때문에 사람들은 이 그림을 보고 불쾌한 기분을 느꼈던 것입니다.

프랑스 제 2제정 당시 살롱전은 여인 누드화가 풍미하고 있었는데, 당선된 작품 중 극찬을 받은 작품은 **알렉상드르 카바넬**(Alexandre Cabanel, 1823-89)의 <비너스의 탄생>(1863) **[그림 141]**입니다. 여인의 누운 몸은 휘어져 아름다운 곡선형을 이루며, 머리 위로 올린 팔은 여신의 얼굴을 반쯤 가리고 있어서 신비로움을 더하고 있습니다.

[그림 141] 알렉상드르 카바넬, <비너스의 탄생>, 1863, 캔버스에 유채, 130x225cm, 프랑스 파리 오르세 미술관 소장.

눈을 감은 여인이 누구인지 알 수 없는 익명성과, 부드러운 살결의 고운 피부 표현이 더 해져 완전히 무방비 상태에서 자신을 그려내는 수동적 자세의 전형적인 누드화임을 알 수 있습니다.

마네도 당시에 유행한 누드를 작품화했지만 <올랭피아>는 전통적인 여인의 도상을 완전히 다른 방식에서 다뤘기 때문에, 관객들에게 상대적으로 큰 충격을 주었던 것입니다. 카바넬의 여인은 관객의 시선을 다소곳이 받으면서도 자신의 육체를 보여주는 여인이며, 비너스라는 신화의 옷을 걸치고 있는 반면에, 마네의 여인은 관객을 도발적으로 쏘아봄으로써 그림과 관객의 상황을 뒤집어 놓고 있습니다. 즉 일방적으로 그림 속의 여인을 보는 것에 익숙한 관객이 오히려 그녀의 시선의 대상이 되는 상황이 된 것입니다. 여기서 마네는 전통적인 누드화를 토대로 하면서도 어떠한 신화적 언급이나 도덕적 겉치레도 부여하지 않은 채 당시 화류계의 여인을 냉정하게 관찰한대로 그렸습니다. 마네의 그림 속 여인은 더 이상 고객의 얄팍한 위선과 희롱의 베일에 속지 않는 강인한 성격의 상업적인 비너스입니다.

마네는 주제뿐만 아니라 형식적인 측면에서도 파격을 보이며 관객에게 충격을 주었습니다. 마네는 정면에서 비추는 빛을 선택하여 밝은 부분을 더욱 밝게 강조했는데, 그 결과 <올랭피아>에서 보듯, 침대 시트가 눈부신 흰색으로 매우 밝고, 여성의 인체도 창백하게 표현되어 있습니다. 그의 그림에는 명암의 단계가 거의 없어서 입체감이 약화되었고, 평면같이 밋밋해 보입니다. 이 평면성이 마네 그림의 특징이자 당대의 혁신적인 표현 기법인 것입니다.

마네의 또 다른 작품 <피리 부는 소년>(1866) [그림 142] 에서도 평면성을 의도적으로 연출한 부분이 보입니다. 피리 부는 소년이 입은 검은색 재킷의 옷에 있는 단추와 소매 부분의 단추를 일렬로 배열하여 마치 2차원의 장식처럼 보이도록 유도하고 있습니다.

바지에 있는 검은 선도 주목할 만합니다. 검은 선은 그림에서 윤곽선, 즉 스케치를 의미하여 입체감보다 평면적인 그림으로 인식되도록 하는 특징이 있습니다. 소년의 얼굴 또한 검은 실선으로 간략하게 표현되어 실재감 보다 그림이라는 것을 강조합니다.

[그림 142] 마네, <피리 부는 소년>, 1866,160 x 97 cm, 캔버스에 유채, 프랑스 파리 오르세 미술관 소장

마네 이전의 화가들은 작업실에서 입체적인 표현을 위해 석고상을 그리는 단계적인 훈련을 받았습니다. 화가들은 가장 밝은 부분에서 어두운 부분까지의 단계를 세밀하게 나누어 입체감을 표현했는데, 마네는 그러한 인습적인 미술 양식에 문제점을 지적했던 것입니다. 실제로 강한 빛이 비

출 때 밝은 부분은 이전까지의 화가들이 그린 흰색 보다 더 밝게 느껴지며, 밝은 빛 때문에 중간 톤을 관찰하기가 쉽지 않습니다. 눈에 보이는 그대로를 그리는 사실주의 쿠르베처럼, 마네 역시 실제로 보이는 장면을 그대로 나타냈다는 점에서 사실주의 화가로 불릴 수도 있습니다.

<발코니>(1869) **[그림 139]**에서도 마찬가지로 밝은 햇살에 의해 여인의 흰옷은 더욱 밝게 빛나고, 안쪽 남성의 옷은 어둠에 가려져 있습니다. 이처럼 흑백의 대조를 극명하게 표현하여 입체감이 거의 드러나지 않는 점이 마네 그림의 특징입니다. 참고로 그림 속 앉아 있는 여인은 베르트 모리조, 마네와 연인이었습니다.

[그림 139] 에두아르 마네, <발코니>, 1869, 170 x 124.5 cm, 캔버스에 유채, 프랑스 파리 오르세 미술관 소장.

그의 그림을 면밀하게 관찰해 볼 때 평면적으로 표현했다고 해도 형상이 드러난다는 점에서 마네가 미술 실력이 뛰어났음을 알 수 있습니다. 그럼에도 불구하고 밋밋하고 덜 그린 것처럼 마무리한 것은 전통적인 기법에 반기를 들고 있는 대로 그리고 싶어 했던 그의 사고를 반영함과 동시에 그림이 2차원적인 평면일 뿐이라는 점을 드러내고자 한 의도로 해석할 수 있습니다.

마네의 위대한 업적으로 인해 서양미술사에서 마네를 인상주의 선구자로 보고 있어요. 하지만 그의 작품은 사실주의 화풍이 있기 때문에, 사실주의에서 인상주의로 가는 과도기에 해당한다고 생각하면 되겠습니다.

"나는 단지 내가 보는 대로만
그리는 것이 아니라
내가 느끼는 대로 그린다."
- 클로드 모네 -

클로드 모네

클로드 모네(Claude Monet, 1840.11.14-1926.12.5)는 초기시절 상업적인 화가이자 캐리커처 작가로 활동했습니다. 어느 날 햇살 가득한 강가에서 물에 비친 잔잔한 풍경의 모습에 깊은 인상을 받고, 야외 풍경의 아름다움을 그림으로 기록하는 인상주의 선두자로 나서게 됩니다.

▶ <센 강변의 베네쿠르>(1868) [그림 143]은 오른쪽 집과 나무에 햇살이 환하게 비치고 그 아래 수면에 강가의 모습이 맑게 일렁이며 흐르는 풍경을 왼쪽 나무 그늘 아래의 한 여인이 감상하며 쉬고 있는 모습을 표현한 작품입니다. 전체적으로 밝은 노랑과 흰색, 연둣빛의 따뜻하고 화사한 색채가 사용되었으며, 두텁게 툭툭 칠해진 물감 터치들은 풍경을 빠르게 그리는 인상주의 화가들의 대표적인 색채 표현 기법입니다.

[그림 143] 모네, <센 강변의 베네쿠르>, 1868, 캔버스에 유채, 81.5 x
100.7 cm, 미국 시카고 미술연구소 소장,

　인상주의를 대표하는 모네에게도 무명생활이 있었습니다. 1860년~70
년 모네는 극심한 가난에 시달렸습니다. 모네는 동료 화가 르누아르가 가
끔씩 갖다 주는 빵으로 겨우 연명해나갔다고 합니다. 그는 생계를 위해
자신의 그림을 헐값에라도 판매하려고 그림 컬렉터들을 찾아가기도 했습
니다.

다행스럽게도 인상주의 전시회를 통해 모네는 화단에 주목을 받게 되었습니다. 모네는 런던에서 터너의 <노예선>(1840) **[그림 114]**를 보고 깊은 영감을 받은 후, 1874년 첫 인상주의 전람회에 그의 야심작 <**인상 : 해돋이**>(1872) **[그림 138]**을 전시합니다. 앞서 살펴봤던 것처럼 이 그림은 인상주의 미술을 세간에 알리는 상징적인 작품으로 유명해집니다.

그리고 1886년 미국 뉴욕에서 열린 인상주의 전시회를 계기로 큰 성공을 거두게 됩니다. 이제 모네는 대형 캔버스를 보관할 넓은 작업실과 다양한 시리즈 작품을 마음껏 그릴 수 있게 되었습니다.

모네는 다작, 연작 시리즈 작업을 한 화가로 유명합니다. 그는 날씨에 상관없이 야외로 나가 직접 풍경을 관찰하고 그리는 방식을 고수하였습니다. 여러 개의 캔버스를 야외에 펼쳐 놓고, 새벽부터 밤까지 시간의 흐름에 따라 변화되는 자연의 모습을 순차적으로 화폭에 담았습니다.

▶ 모네는 2년 동안 건초더미 시리즈 25점을 그립니다. 1달 1점 이상 꾸준히 그렸다는 뜻이지요. 모네가 그 당시 다른 풍경 작품들도 함께 그렸기 때문에, 그의 꾸준한 그리기 습관이 정말 대단함을 알 수 있습니다. 건초더미는 계절에 따른 빛의 변화와 색채의 다양성을 표현한 연작 시리즈입니다. **[그림 144] 참고**

[그림 144] 클로드 모네 <건초더미> 시리즈, 1890-91, 캔버스에 유채.

[그림 145] 모네, <루앙 대성당> 시리즈, 캔버스에 유채, 1894.

1894년경 모네는 시간과 계절에 따라 변화무쌍한 자연의 모습을 그리는 데에 집중하였습니다. 시간과 계절의 변화는 곧 태양의 위치와 일조량의 다양함을 의미하는 것입니다. 모네는 빛에 따라 변화하는 풍경의 색채에 주목하여 연작을 통해 같은 풍경의 다양한 색채를 표현하는 그림을 남겼습니다. 그 대표적인 작품이 바로 '루앙 대성당' 시리즈 입니다. 현존하는 모네의 루앙 대성당 그림은 약30점정도 됩니다. [그림 145] 참고

모네는 연못, 강, 바다를 그리는 것을 좋아했고, 배 위에서 죽고 싶다고 말할 정도로 물을 사랑했습니다. 그는 물에 비친 풍경을 자세히 관찰하고 그리기 위해 바닥이 편평한 배를 구입하여 그 안에 캔버스를 고정하고 새벽부터 저녁까지 선상화실에서 그림을 그렸습니다.

그의 집요함과 강박적인 성향의 그리기 작업은 말년에 그의 시각을 멀게 하는 영향을 주었지만, 모네는 시력이 약화된 가운데 더욱 그림에 몰두하며 <수련> 시리즈를 제작하였습니다. 1895년경부터 시작한 그의 수련 시리즈는 생을 다하는 1926년 까지 끊임없이 이어졌습니다.
[그림 146] 참고

[그림 146] 모네, <연꽃>, 1906, 캔버스에 유채, 89.9 x 94.1 cm,
미국 시카고 미술관 소장.

　인상주의 화가라는 명성대로, 모네는 아름다운 풍경의 찰나적 인상, 그
리고 기억 속에 그려진 이미지를 그림으로 표현한 위대한 화가로 우리
마음에 영원히 기억될 것입니다.

"그림이란
즐겁고 유쾌하며
예쁜 것이어야 한다."
- 오귀스트 르누아르 -

Auguste   Renoir
(1841-1919), French.

오귀스트 르누아르

오귀스트 르누아르(Pierre Auguste Renoir, 1841.2.25-1919.12.3)는 **인상파 화가 중 유일하게 비극적인 주제를 그리지 않은 예술가 입니다.** 그는 주로 아름다운 여인과 귀여운 소녀, 웃고 있는 사람들이 모여 있는 풍경, 꽃 정물 등을 그렸으며, 따뜻하게 빛나는 색채로 사랑스러운 분위기를 잘 나타낸 낭만주의 인상미술을 개척한 화가입니다.

모네처럼 르누아르도 다작을 한 화가입니다. 그의 작품은 1500여점에 달하는데, 말기에 손목이 마비되어도 손목에 붓을 감아 그림을 그릴 정도로 예술에 대한 열정이 대단했습니다.

초기 작품 (1862-1871)

르누아르는 가난한 형편으로 13세 때부터 도자기 공장에 들어가 도자기에 무늬를 새겨 넣는 일을 하였습니다. 그 임금으로 미술재료와 생활비를 충당했습니다. 틈틈이 미술 공부를 열심히 한 그는 1862년 에꼴 데 보자르에 합격합니다. 그가 본격적으로 화가로 활동하기 시작한 1862년부터 프로이센 전쟁이 끝나는 1871년까지 약 10년 동안을 르누아르의 초기 작품 시기로 봅니다. 이 시기 르누아르는 사실주의 미술에 빛이 가미된 화사한 분위기의 인물 초상화, 정물화, 풍경화를 그렸습니다.

▶ 르누아르 초기 그림 <양산을 쓴 리즈>(1867) 르누아르의 연인 리즈를 그린 작품 입니다. 이 작품이 살롱 전에 당선되면서 화단에 르누아르 이름을 알리는 계기가 되었습니다. [그림 147]

[그림 147] 르누아르, <양산을 쓴 리즈>, 1867, 캔버스에 유채, 182 x 118 cm, 독일 에센 폴크방 미술관 소장.

중기 작품 (1872-1885)

　1870년부터 1871년까지 르누아르는 프랑스-프로이센 전쟁에 참전하였습니다. 중기 작품 시기는 르누아르가 군복무를 마친 1872년부터 인상주의 화가로 자리매김하는 1885년까지를 말합니다. 이 시기 르누아르의 그림은 사실주의적 정교함보다 화사한 빛의 색채가 부각되는 특징이 있습니다.

[그림 148] 르누아르, <물랭 드 라 갈레트의 무도회>, 1876, 캔버스에 유채,
131 x 175 cm, 프랑스 파리 오르세 미술관 소장.

색상은 한층 더 밝고 윤곽선이 뿌옇게 처리되어 그림이 온기를 머금은 듯 부드럽고 포근한 분위기를 자아냅니다. 르누아르는 일상의 즐거운 순간을 경험하는 인간의 모습을 빛과 색채로 표현하고 싶어 했습니다. <물랭 드 라 갈레트의 무도회>(1876) [그림 148]을 그리기 위해 그는 6개월이나 같은 장소를 방문하여 사람들의 다양한 모습과 표정을 스케치했다고 합니다.

[그림 149] 르누아르, <뱃놀이 일행의 오찬 (보트 파티에서의 오찬)>, 1880-81, 캔버스에 유채, 129.5 x 172.7 cm, 미국 워싱턴 D.C. 필립스 컬렉션 소장.

후기 작품 (1885 - 1919)

인상주의 대표화가로 유명해진 르누아르는 정작 본인의 모호한 화풍이 마음에 들지 않았습니다. 그는 르네상스 시대의 전통적인 미술 기법을 다시 공부하고 고전적인 미를 추구하게 됩니다. 그래서 그의 후기 작품 시기는 그리스 로마 신화를 연상시키는 여성 누드화가 등장하고 형태의 윤곽선이 살아나면서, 당대 인상주의 미술의 표피적인 색채 표현 기법과 차별화 되는 우아하고 관능적인 르누아르만의 독자적인 고전적 화풍이 나타나게 됩니다.

[그림 150] 르누아르, <대수욕도>, 1887, 캔버스에 유채, 115.6 x170cm, 미국 필라델피아 미술관 소장.

"예술은 보는 것이 아니라
보도록 만드는 것이다."
- 에드가 드가 -

Edgar De Gas (1834–1917), French.

에드가 드가

　에드가 드가(Edgar De Gas, 1834.7.19-1917.9.27)는 인상파 화가 중 뛰어난 데생 능력의 소유자 입니다. 인체의 비례와 골격을 정확하게 인지 하고 당대 생활하는 사람들의 모습을 실감나게 표현한 화가입니다.

　사실 드가를 인상주의 화가로 온전히 거론하기에는 다소 애매한 측면 이 있습니다. 왜냐하면 그는 인상주의 화가들의 공통적 특성인 야외에서 그리기를 꺼려했기 때문입니다. 그는 "미술은 스포츠가 아니다"라고 주장 하며, 야외 풍경 대신 실내 공연의 서커스, 오페라, 발레리나의 모습과 목 욕하는 여인, 카페, 인물 초상화 등으로 주제를 한정 지었습니다.

부유한 은행가 집안의 장남으로 태어난 드가는 1855년 미술학교에 입학했습니다. 그곳에서 신고전주의 거장 앵그르에게 직접 미술 교육을 받으며 고전에 대해 존경심을 갖게 됩니다. 1856년에는 이탈리아를 여행하며 르네상스 대표 작품들에 큰 영향을 받았습니다.

'까다로운 드가'라는 별명이 붙을 정도로 드가는 차가운 성격의 소유자였습니다. 어린 시절부터 꽃, 개 등 낭만적인 즐거움을 주는 것을 싫어했고, 오로지 일하는 사람들의 모습에 관심을 가졌습니다. 그는 다른 인상주의자들보다 더 이지적이고 보수적이었습니다. 드가의 제자였던 여류화가 메리 캐사트는 여자를 싫어했던 독신 남 드가를 가리켜 "그는 여인을 사랑할 줄 모르는 사람"이라고 비판했습니다.

인상주의자들과 근본적인 차이가 있음에도 드가를 인상주의 화가로 거론하는 까닭은, 마네, 모네, 르누아르 등의 인상파 화가들과 교류하며 전시도 같이 하고, 인상주의 화가들이 야외 풍경을 선호하는 특징 외에 또 다른 중요한 사실인 일상생활에서 순간 포착한 모습을 그렸기 때문입니다. 물론 드가에게 있어서 순간적이라는 것에 해당하는 것도 우연에 의한 즉흥성 보다는 세심하고 철저하게 계획한 결과임을 잊지 말아야 할 것입니다.

발레, 무용 그림

발레 하는 여인들의 모습을 순간 포착하여 그린 그림은 드가가 즐겨 그린 연작 시리즈 작품입니다. 무용수들이 하품하는 모습, 기지개를 켜거나 신발 끈을 매는 모습, 축 늘어져 쉬는 모습 등의 다양한 동작을 표현한 드가는, 특히 화면 모서리 부분의 인물을 과감하게 자르거나 중심인물이 외곽으로 치우치는 등 불안정하면서도 대담한 구도 방식을 택하여 그림에 역동성과 생동감을 높이고 있습니다.

▶ <무대 위의 무희>(1877) [그림 151]은 드가가 제 3회 인상주의 전시회(1877년)에 출품한 작품 입니다. 유화가 아닌 파스텔화로 시선을 끈 이 작품은 드가의 발레, 무용 시리즈 중 가장 유명한 작품 입니다. 무대 가운데 스타처럼 환호를 받는 그녀와 대조적으로 뒤에 형상을 알 수 없이 간략하게 처리된 다른 무용수들과의 차이를 통해 그 시대 무희들의 무대 뒤의 희로애락을 엿볼 수 있습니다.

드가는 1875년 경 시력이 급격히 쇠퇴하자, 유화 물감보다 드로잉 기법의 파스텔화를 즐겨 그리게 되었습니다.

[그림 151] 드가, <무대 위의 무희>, 1877, 종이에 파스텔, 58 x 42 cm,
프랑스 파리 오르세 미술관 소장.

▶ <발레수업>(1874) **[그림 152]**는 중앙 오른편에 수업을 지도하는 남자 교사가 있고, 수업에 참여한 많은 무용수들이 그려져 있습니다. 그러나 수업을 제대로 듣는 학생들은 소수에 불과하고, 대부분은 다른 곳을 보거나 친구들과 대화를 나누고, 등을 긁는 등 다양한 행동을 하고 있습니다. 아래 그림은 이 그림과 연장선상에 있는 작품 입니다.

화면을 가로지르는 대각선 구도와 가장 자리의 과감한 커팅 처리는 드가의 대담한 구도 선호를 반영하며, 당대 사진기의 등장으로 인해 연속 촬영한 장면을 그림으로 옮긴 것으로도 해석할 수 있습니다.

[그림 152] 드가, <발레수업>, 1874, 캔버스에 유채, 85 x 75 cm, 프랑스 파리 오르세 미술관 소장.

카페 그림

<압생트 잔>(1876) [그림 153]은 가운데 매춘부로 추정되는 여인과 바로 옆 술에 취한 모습의 남자가 등장합니다. 인물들이 오른쪽으로 치우쳐져 있고 대각선을 가로지르는 테이블의 표현이 화면 구성에 생동감과 긴장감을 자아냅니다. 특히 화면 오른쪽 남자가 문 파이프는 형태가 과감하게 잘려서 마치 스냅 사진을 보는 인상을 줍니다.

[그림 153] 드가, <압생트 잔>, 1876, 캔버스에 유채, 92 x 68 cm, 프랑스 파리 오르세 미술관 소장.

두 인물은 서로 대화를 하지 않고 여인은 무엇인가를 생각하는 표정이며, 남자는 화면 밖 어딘가를 응시하고 있습니다. 둘이 나란히 앉아 있음에도 각각 떨어져 고립감을 연출한 이 그림은 당대 사회의 인간 소외감과 단절을 암시한다고 볼 수 있습니다. 그들은 압생트 술잔을 마심으로써 고독을 해결하려 하지만 결국 해결할 수 없는 현실에 좌절하는 우울한 인간의 단상을 보여줍니다.

흥미로운 점은 두 인물이 앉아 있는 테이블 왼쪽에 또 다른 물병이 놓여 있다는 사실입니다. 이는 그림 속에 나오지 않았지만 옆 자리에 누군가가 있다는 것을 암시합니다. 그 사람은 이 그림을 그린 드가일 수도 있고, 혹은 이 장면을 지켜보는 관람자인 우리가 될 수도 있다는 점에서 다양한 해석이 가능한 작품입니다.

누드화

드가는 발레리나 연작 시리즈만큼 목욕하는 여인을 즐겨 그렸습니다. 또한 발레리나 연작은 유화와 파스텔화 모두 있지만, 목욕하는 여인은 파스텔로만 그려진 점이 특징입니다. 목요ㅣ하는 여인 시리즈 중 가장 유명한 작품은 <욕조>(1886) **[그림 154]**입니다.

▶ 이 그림은 고전적인 포즈를 취하거나 여인의 아름다움을 표현하지 않았습니다. 그림 속 여인은 목욕을 하고 있는 실제 장면처럼 사실적이면서도 자연스러운 자세로 그려져 있습니다. 고전에 등장하는 여성 누드화는 대부분 아름다운 인체의 형상과 우아한 관능미를 전달하는 반면에, 드가의 누드화는 웅크리고 등을 돌려 자신을 감추고 있는 일반 여성의 모습이라는 점에서 전통적인 여성 누드화와 차별화 됩니다.

그림 오른쪽 테이블 위에 있는 주전자가 과감하게 잘려 일부 형상만 보이는 것과, 목욕하는 여인이 위에서 아래를 내려다보는 시점으로 표현된 이 작품은 독특한 화면 구성과 새로운 시점이라는 측면에서 당대 등장한 카메라 사진기의 발명과 깊은 연관성이 있는 것으로 판단됩니다.

[그림 154] 드가, <욕조>, 1886, 판지에 파스텔, 60 x 83 cm,
프랑스 파리 오르세 미술관 소장.

28장　인상주의 풍경화가 - 피사로

Camille　　　　Pissarro
(1830-1903), French.

카미유 피사로

　　인상주의를 대표하는 4대 화가와 함께 인상파 미술에 지대한 영향을 끼친 카미유 피사로(Camille Pissarro, 1830.7.10-1903.11.13)의 그림에는 두 가지 미술사조가 나타납니다. 하나는 인상주의, 다른 하나는 신인상주의 미술입니다.

인상주의 그림

　　피사로의 인상주의 그림은 조감도처럼, 위에서 아래를 내려다보는 시점이 특징입니다. 그리고 날씨와 계절의 변화에 따른 풍경 모습을 원근법으로 표현한 특징이 있습니다.

연작, 다작으로 유명한 모네처럼 피사로 또한 같은 곳을 여러 번 그렸습니다. 서로 다른 그림 찾기라고 할 정도로 피사로의 두 그림이 서로 유사합니다.

[그림 155] (좌) 피사로, <몽마르뜨 대로 아침, 흐린 날씨>, 1897,
캔버스에 유채, 73 x 91 cm, 오스트레일리아 멜버른 빅토리아 국립 미술관 소장.
[그림 156] (우) 피사로, <몽마르뜨 대로, 햇빛과 안개 낀 아침>, 1897,
캔버스에 유채, 54 x 66 cm, 개인 소장.

▶ 피사로 그림을 대표하는 가장 유명한 작품 <몽마르뜨 대로 아침, 흐린 날씨>(1897) [그림 155]는 하늘에서 아래를 내려다보는 시점으로 몽마르뜨 도시 풍경이 그려져 있습니다. 눈에 보이는 현실을 사실적으로 표현하면서도 인상주의 미술 기법인 흔들리는 빠른 붓질과 밝은 색채가 돋보이는 그림 입니다.

[그림 157] (좌) 피사로, <로열 다리와 플로르 파빌리온>, 1903, 캔버스에 유채, 54.5 x 65 cm, 프랑스 파리 프티 팔레 미술관 소장.
[그림 158] (우) 피사로, <로열 다리와 플로르 파빌리온>, 1903, 캔버스에 유채, 54 x 65 cm, 개인 소장.

피사로는 젊은 화가들에게 인상주의 미술에 대해 조언을 해준 화가로서, 인상주의 아버지 같은 존재 입니다.

피사로는 1863년 에두아르 마네, 제임스 맥닐 휘슬러 등과 함께 낙선전에 참여하였고, 1870년대에는 모네, 르누아르, 시슬레와 함께 야외에서 그림을 즐겨 그렸습니다. 그리고 모네, 르누아르, 세잔 등과 전시 기획도 논의하며 그들이 전시할 수 있도록 정신적, 물질적으로 많은 도움을 제공했습니다. 정작 피사로의 그림은 우리가 잘 알고 있는 인상파 4대 화가(마네, 모네, 르누아르, 드가)에 비해 알려지지 못했지만, 조력자로서 당대 예술가들에게 큰 도움을 주고 인상주의 미술이 프랑스를 상징하는 혁신적인 미술사조로 정착하는 데 크게 기여했다는 점에서 그의 미술사적인 위상을 높게 평가합니다.

신인상주의 그림

피사로는 1880년대 초중반 조르주 쇠라, 폴 시냑과 가까이 하며 점묘
법에 새로운 관심을 가졌습니다. 그러나 많은 노동과 시간을 요하는 점묘
기법은 눈병과 시력의 약화로 오래 지속하지 못했습니다. 피사로는 1880
년대 후반부터 자신만의 새로운 풍경화 작업에 돌입합니다. 그것이 바로
앞서 우리가 살펴보았던 조감도 기법의 풍경화 입니다.

[그림 159] 피사로, <창문 너머로 보이는 풍경, 에라니>, 1886-88, 캔버
스에 유채, 81 x 65 cm, 영국 옥스퍼드 아쉬몰리안 박물관 소장.

▶ 피사로는 말기에 눈병과 시력 약화로 야외에서 그림을 그릴 수 없게 되자 화실에서 창밖을 보며 풍경을 그렸습니다. 일몰을 좋아한 피사로의 점묘법에 의한 몽환적인 에라니 풍경의 모습이 아름답게 느껴집니다.

[그림 160] 피사로, <석양과 안개, 에라니>, 1891, 캔버스에 유채, 54 x 65 cm, 개인 소장.

현대미술로 가기 전
마지막 댄스,
"신인상주의, 후기인상주의"

6부 신인상주의, 후기인상주의
- 탈 인상주의

29장 신인상주의 - 쇠라, 시냑

Georges   Seurat   Paul Signac (1863-1935),
(1859-1891),   French.
French.

조르주 쇠라

조르주 쇠라(Georges Seurat, 1859.12.2-1891.3.28)는 신인상주의 창시자 이며, 점묘법 그림으로 유명한 예술가입니다. 파리에서 태어난 쇠라는 1878년 미술 학교로 유명한 에꼴 데 보자르에 입학하면서 본격적으로 화가로 활동합니다. 1884년에는 동료 화가 폴 시냑 (폴 시냐크)를 만나 신인상주의 미술에 대한 생각을 공유하며 작품 활동도 같이 했습니다.

◀ [그림 161] 조르주 쇠라, <에펠탑>, 1889, 나무에 유채, 24 x 15 cm, 미국 샌프란시스코 미술관 소장

쇠라의 '점묘법'은 인상주의 미술의 새로운 기법이라는 의미로 '신인상주의'를 탄생하게 하는 데 기여하였으며, 새로운 혁신을 일으키며 미술계에서 찬사를 받았습니다.

다만 32세 젊은 나이에 병으로 갑작스럽게 세상을 떠나 그의 새로운 점묘법 작품을 더 이상 보지 못하는 아쉬움이 있는 화가입니다.

점묘법 (pointage)

'점묘법'은 그림을 그릴 때 붓 끝에 물감을 묻혀 점을 찍듯이 콕콕 찍어서 표현하는 미술 기법입니다. 신인상주의 화가들이 주로 사용한 기법이어서 '신인상주의 = 점묘법'으로 봅니다.

아주 작은 점부터 붓의 옆면을 활용한 긴 점 까지 다양한 크기의 색점으로 그림을 나타내는 점묘법 기법은, 신인상주의 대표 화가인 조르주 쇠라의 미세한 크기의 색점과, 카미유 피사로의 흔들리는 붓질에 의한 긴 색점, 폴 시냑의 붓 터치가 강조된 큰 색점 그림에서 확인할 수 있습니다.

신인상주의 vs 인상주의 차이점

신인상주의와 인상주의 미술의 가장 큰 차이점은 2가지, 색의 혼합 유무와 소요 시간에 있습니다.

첫째, 신인상주의 화가들은 인상주의 화가들이 즐겨 쓰던 물감 혼합 방식을 지양했습니다. 그들은 물감을 섞으면 채도가 낮아지고 색상이 혼탁해지는 현상을 경험하면서, 보다 맑고 깨끗한 색을 구현하기 위해 색을 혼합하지 않고 원색을 그대로 사용하는 방법을 택하였습니다. 예를 들어 연둣빛 풀색을 표현하기 위해 노랑과 초록색의 점을 교차시켜 표현하는 방법으로 연두색을 나타냈습니다. 반면 인상주의 화가들은 연두색을 표현하기 위해 파레트에 노랑과 녹색을 섞어 나온 연두색을 캔버스에 그대로 채색하는 방식으로 그림을 그렸습니다.

둘째, 인상주의자들이 혼합된 색을 그대로 채색함으로써 작업 시간을 단축했던 것과 달리, 신인상주의 화가들은 작업 기간이 상당히 오래 소요되었습니다. 특히 작은 색점으로 2m 이상의 거대한 캔버스 작업도 마다하지 않는 열정을 지닌 조르주 쇠라는 작품을 완성하는 기간이 짧게는 몇 달, 길게는 2년씩 걸렸습니다. 일종의 반복적인 노동행위라고 할 수 있는 그의 작품은 혼합되지 않는 원색들로 인해 작품이 경쾌하고 청초하면서도 무수한 색점들로 인해 웅장함과 압도적인 경이로움이 동시에 느껴집니다.

[그림 162] 쇠라, <그랑드 자트 섬의 일요일 오후>, 1884-86, 캔버스에 유채,
207.5 x 308 cm, 미국 시카고 미술관 소장.

▶ <그랑드 자트 섬의 일요일 오후>(1884-86) **[그림 162]**는 파리 센느
강변 그랑드 자트 섬의 평화로운 오후 풍경을 보여주는 작품입니다. 무수
히 많은 색점들로 그려진 이 그림은 산책하며 강변을 감상하는 인물들의
모습을 통해 당대 의상과 여가를 즐기는 문화생활을 알 수 있습니다.

[그림 163] 쇠라, <그랑드 자트>, 1884, 캔버스에 유채, 69.9 x 85.7 cm, 개인 소장.

▶ <그랑드 자트>(1884) **[그림 163]**은 앞서 살펴본 <그랑드 자트 섬의 일요일 오후>(1884-86) **[그림 162]**와 유사한 풍경에 사람이 없는 작품 입니다. 빛의 색채가 풀과 나무, 그리고 왼편 너머로 보이는 강가 까지 살포시 내려앉은 느낌이 따뜻하고 평화로운 그랑 자트 섬의 오후를 빛나 게 합니다.

이 작품이 흥미로운 점은, 그림 속의 나무와 나무의 그림자 방향이 불 일치합니다. 나무들의 긴 그림자가 풀밭에 새로운 그늘 음영을 생성하며 가로로 길게 뻗어있는 반면, 중앙 왼편 나무 그림자는 화면의 정적을 깨고 비스듬하게 대각선 방향으로 그림자가 드리워져 있습니다.

해의 방향이 그림의 오른쪽에 있다고 가정했을 때 유독 왼쪽 나무의 그림자만 다르게 표현된 까닭은, 아마도 쇠라가 고요한 그랑 자트 섬의 적막을 깨고 싶었던 것으로 추측합니다. 즉 이 그림은 실제 풍경을 표현하였지만 화가의 의도가 반영되어 진짜 풍경 모습을 전달하기 보다는 그랑 자트 섬의 평화로운 일상과 그 속에 내재된 아름다운 기억을 그림으로 나타내고 싶은 쇠라의 의도적인 장치라고 볼 수 있습니다.

▶ <서커스>(1890-91) [그림 164]는 쇠라가 1891년 갑작스러운 병으로 사망하여 미완성으로 남겨진 그의 생애 마지막 작품입니다. 서커스 주제를 즐겨 그리던 쇠라의 고운 색점과 온화한 색채가 거대한 캔버스를 가득 메우며, 곡예를 펼치는 무희와 관중들과의 교감이 잘 어우러집니다. 그림에서 색 가루들이 마치 꽃가루 날리듯이 흩날리며, 자유를 꿈꾸는 서커스인의 하늘을 향해 점프하는 모습에 투영되는 듯합니다.

[그림 164] 쇠라, <서커스>, 1890-91, 캔버스에 유채, 185 x 152.5 cm, 프랑스 파리 오르세 미술관 소장.

"물감을 조화롭게 섞듯,
인생의 색깔을 조화롭게 만들어라."
- 폴 시냑 -

폴 시냑 (폴 시냐크)

모네의 영향을 받아 인상주의 그림을 그렸던 폴 시냑 (폴 시냐크, Paul Victor Jules Signac, 1863.11.11-1935.8.15)은 조르주 쇠라를 만나 신인상주의를 발전시킨 프랑스 예술가 입니다. 색점으로 이루어진 점묘접 유화 작품이 유명하며, 산뜻하고 경쾌한 수채화 작품도 많이 남겼습니다.

시냑은 주로 유럽의 해안을 배를 타고 여행하면서 보고 느낀 풍경을 주제로 그렸습니다. 물을 좋아하여 매년 여름 파리를 떠나 프랑스 남부 콜리우르(Collioure)와 생 트로페(St. Tropez)에 머물며 바닷가의 모습을 그렸습니다.

그는 1884년경 조르주 쇠라를 만나 신인상주의를 대표하는 점묘 기법에 매료되었고, 쇠라의 후계자로 점묘법을 발전시키는 데 크게 기여했습니다. 특히 그는 쇠라와 함께 독립미술가협회(Society of Independent Artists, 앙데팡당) 전람회의 창립 회원으로 대규모 전시를 기획하기도 했습니다. 심사 없이 누구나 전시에 참여할 수 있는 취지로 열린 이 전시는 많은 예술가들에게 실험정신을 장려하고 그들이 자유롭게 전시할 수 있는 기회를 제공하였습니다.

폴 시냑은 다른 화가들에게도 점묘법을 알리고 그들과 활발한 교류를 이어나갔습니다. 1880년대 중반 빈센트 반 고흐, 카미유 피사로를 만나 분할주의 점묘 기법을 적극적으로 알리기도 했습니다. 앞으로 살펴볼 후기인상주의 고흐와 지난 시간에 다룬 인상주의 화가 피사로의 그림에 색점과 유사한 분할기법이 드러난다는 점에서 우리는 신인상주의 미술의 영향력을 생각해볼 수 있을 것입니다.

유화

[그림 165] 시냑, <우물가의 여자들>, 1892, 캔버스에 유채, 195 x 131 cm, 프랑스 파리 오르세 미술관 소장.

폴 시냑은 1892년부터 작은 배를 타고 프랑스와 네덜란드 해안까지 긴 여행을 떠났으며, 여행 중 그린 드로잉 작품을 토대로 작업실에 돌아와 캔버스에 옮겨 그렸습니다. 이 시기의 특징은, 이전까지는 쇠라의 화풍과 유사하게 작은 색점들로 표현한 것과 달리, 작은 사각형의 모자이크 방식의 색면 기법으로 표현했다는 점입니다. 바로 색점, 색면의 크기 차이가 쇠라와 시냑을 구분하는 기준이 됩니다. 같은 신인상주의 화가이지만, 쇠라는 작고 부드러운 색점을, 시냑은 크고 두툼한 색면으로 표현하는 차이가 있습니다.

[그림 166] 시냑, <생 트로페의 소나무>, 1909, 캔버스에 유채, 72 x 92 cm, 러시아 모스크바 푸시킨 박물관 소장.

[그림 167] 시냑, <베니스, 핑크 클라우드>, 1909, 캔버스에 유채, 73 x 92 cm,
오스트리아 빈 비엔나 알레르티나 미술관 소장.

[그림 168] 시냑, <앙티브, 타워>, 1911, 캔버스에 유채, 66 x 82.3 cm,
오스트리아 빈 비엔나 알베르티나 미술관 소장,

"그림자를 제거했고,

색채는

일본 목판화에서처럼

얕고 단순하게 칠했어."

- 빈센트 반 고흐 , 동생 테오에게

〈아를의 반 고흐의 방〉 설명 편지 -

30장 후기인상주의

[그림 169] 빈센트 반 고흐, <아를의 반 고흐의 방>, 1888, 캔버스에 유채,
57.5x 74cm, 프랑스 파리 오르세 미술관 소장.

Vincent van Gogh (1853-1890),
Dutch.

빈센트 반 고흐

미술을 잘 모르는 사람도 한 번쯤은 들어본 우리에게 친숙한 이름 빈센트 반 고흐(Vincent van Gogh, 1853.5.30-1890.6.29)는 후기인상주의 대표 화가 입니다.

고흐는 27세에 그림을 시작하여 37세 생을 마감하기 까지 약 10년간 1000여점의 작품을 그렸습니다. 다작을 한 만큼 자화상 시리즈, 해바라기 시리즈 가 유명하며, 풍경화, 정물화, 풍속화, 인물화 등 모든 장르를 아우르는 다양한 그림을 남겼습니다.

초기 : 네덜란드시기(1880-1885) - 사실주의

[그림 170] 고흐, <알뿌리 꽃밭>, 1883, 캔버스에 유채, 48.9 x 66 cm, 미국 워싱턴 D.C. 내셔널 갤러리 소장.

빈센트 반 고흐는 27세에 미술을 시작했습니다. 1880년 11월 브뤼셀 왕립미술아카데미에 입학한 후, 그곳에서 렘브란트 자화상과 풍속화를 접했습니다. 고흐는 렘브란트 그림을 모사함으로써 원근법, 소묘 등의 미술 기법을 공부하고 그와 비슷한 화풍으로 그렸습니다. 1880년 당시 프랑스에는 사실주의 리얼리즘 화풍이 유행하고 있었어요. 사실주의는 현실의 모습을 있는 그대로 그리는 미술 양식을 뜻합니다. 따라서 고흐도 초기에는 사실주의를 바탕으로 향토적안 지방색이 가득한 사실주의 화풍이 특징입니다. 고흐는 해안가 풍경, 나무, 집, 사람들의 모습을 그렸어요.

▶ 고흐의 초기 작품 <알뿌리 꽃밭>(1883) [그림 170]을 보면, 우리가 잘 알고 있던 거친 붓질의 화풍이 나타나지 않아서 고흐가 아닌 다른 화가 그림 같다고 생각하실 거예요. 고흐의 유명한 작품 <해바라기>와 <자화상> 그림의 꿈틀거리는 붓질이 드러나지 않고 지극히 차분하고 섬세한 기법으로 당대 풍경을 묘사했기 때문입니다. 고흐는 초기에 집과 나무를 주로 어두운 갈색 계열로 채색한 특징도 있습니다. 고흐의 집 그림은 인상주의에 영향을 받은 중기부터 밝아집니다.

1885년 고흐의 아버지가 심근경색으로 사망하자, 고흐는 그해 11월 안트베르펜으로 이사했습니다. 그곳에서 고흐는 회화용품 판매점 위층 집을 빌려 생활했습니다. 생활비는 여의치 않았고 작품 또한 팔리지 않아서 고흐는 말 그대로 밥을 굶는 생활고에 시달려야만 했습니다. 고흐는 자신의 그림이 어둡고 침침해서 인기가 없는 것 같다는 동생 테오의 의견을 받아들이고, 본격적으로 색채에 대해 연구하기 시작했습니다.

중기 : 안트베르펜, 파리 시기(1885-1888) -
인상주의, 신인상주의(1887), 후기인상주의(1888)

[그림 171] 고흐, <파리 근교에서 가래를 든 남자>, 1887, 캔버스에 유채,
48 x 75 cm, 개인 소장.

중기는 고흐가 본격적으로 인상파 다른 화가들과 교류하며 그림을 활
발하게 그리기 시작한 시기 입니다. 고흐가 안트베르펜에서 머문 3개월과
파리에 체류한 3년의 시기는 고흐의 화풍이 급변하는 데 직접적인 영향
을 준 중요한 시기 입니다. 고흐가 이전까지는 사실주의 화풍의 그림을
그렸다면, 안트베르펜 이후 눈에 띄게 색채가 밝아지며 털실 같은 물감의
붓질 표현 기법이 자화상과 풍경화에 나타나기 시작합니다.

중기 시기 고흐는 인상주의 대표 화가 모네, 르누아르 등과 마찬가지로 야외에서 풍경을 즐겨 그렸습니다. 그리고 카미유 피사로, 폴 시냑 등과 교류하며 인상주의와 신인상주의 기법에 영향을 받았습니다.

▶ 신인상주의 점묘법을 연상케 하는 고흐의 <파리 근교에서 가래를 든 남자>(1887) **[그림 171]**은 신인상주의 대표 화가 폴 시냑과의 교류를 짐작케 하는 작품입니다. 앞서 살펴본 것처럼 시냑은 고흐에게 점묘법을 적극적으로 알렸어요. 이 그림은 고흐가 신인상주의 점묘법에 큰 영향을 받았음을 알 수 있는 작품입니다.

고흐의 화풍이 변화하게 된 가장 큰 요인 중 하나는 인상파 화가들과의 교류이며, 또 다른 하나는 일본 목판화 '우키요에'의 영향 입니다. 일본은 1853년 국경을 개방하며 판화를 찍은 많은 종이 작품을 유럽에 보급하였습니다. 당대 모네를 비롯한 많은 예술가들이 일본 채색 목판화인 '우키요에'의 새로운 기법에 관심을 보였고, 고흐 또한 마찬가지로 일본 판화 자료를 열심히 모았습니다. 그리고 판화의 기법을 도입한 그림을 완성했습니다. 대표적인 작품은 1888년 <해바라기> **[그림 172]**, **[그림 173]**, <론 강의 별이 빛나는 밤> **[그림 174]**입니다.

[그림 172] 고흐, <15송이 해바라기 꽃병>, 1888, 캔버스에 유채,
95 x 73 cm, 네덜란드 암스테르담 반 고흐 미술관 소장.

**[그림 173] 고흐, <해바라기>, 1888, 캔버스에 유채, 91x 72cm,
독일 뮌헨 노이에 피나코텍 미술관 소장.**

▶ 태양을 사랑했던 고흐는 태양을 닮은 해바라기를 좋아했습니다. 고흐 해바라기 작품은 놀랍게도 5점이 넘게 있습니다.

[그림 174] 고흐, <론 강의 별이 빛나는 밤>, 1888, 캔버스에 유채,
72.5 x 92 cm, 프랑스 파리 오르세 미술관 소장.

후기 : 아를 시기(1888-1890)
- 후기인상주의(1888-1890)

고흐는 1888년 9월 프랑스 파리에서 남부 아를 지방으로 이주합니다. 이곳에서 그는 더욱 강렬한 색채와 붓질 표현으로 실험적이고 개성이 부각된 후기인상주의 화풍의 그림을 그렸습니다. 이 시기의 그림은 야수파 앙리 마티스 화풍과도 유사합니다. 실제 자연의 색을 추구하지 않고 주관적인 색채가 가미된 원색의 보색대비로 그림에 조형적인 감각을 더해주는 그림이 나타나는 특징이 있습니다. 대표 작품은 <밤의 카페>(1888) **[그림 175]**, <별이 빛나는 밤>(1889) **[그림 176]** 입니다.

[그림 175] 고흐, <밤의 카페>, 1888, 캔버스에 유채, 72.4x 92.1cm, 미국 뉴헤이븐 예일대 미술관 소장.

[그림 176] 고흐, <별이 빛나는 밤>, 1889, 캔버스에 유채,
73.7 x 92.1 cm, 미국 뉴욕 현대미술관 MoMA 소장.

마지막 그림

[그림 177] 고흐, <나무뿌리>, 1890, 캔버스에 유채, 50x 100cm,네덜란드 암스테르담 반 고흐 미술관 소장.

▶ 고흐의 마지막 작품으로 알려진 것은 <나무뿌리 >(1890) [그림 177] 입니다. 미완성으로 현재 네덜란드 암스테르담 반 고흐 미술관에 전시되어 있습니다.

고흐는 특유의 노란색과 푸른색을 주요색으로 사용하여 강렬한 붓질과 물감을 두껍게 입히는 방법을 통해 자신의 감정을 표출하였습니다. 이글거리는 붓질에서 저는 고흐의 절규와 절망을 느낍니다.

고흐의 초기 사실주의, 중기 인상주의, 신인상주의, 후기 말기 후기인상주의 그림을 보면서 우리는 당대 유행한 미술양식을 파악할 수 있고, 시대와 주변인물의 영향에 따라 화가의 작품이 변모한다는 것을 알 수 있습니다.

　또한 화가는 한 양식만을 고수하지 않고, 당대 여러 화풍을 수용하면서 그것을 자기만의 방식으로 표현하기 위해 부단히 노력한다는 사실도 알 수 있습니다.

　화가의 삶처럼 우리의 인생도 마찬가지 아닐까요? 우리 주변에 어떤 사람이 있는지, 그리고 그들과 어떤 소통을 하는지에 따라 우리의 인생이 그들에게 영향을 받고 바뀔 수 있음을 고흐 풍경화를 통해 크게 느낍니다.

　저는 지금껏, 그리고 지금, 또한 앞으로 만날 여러분들과의 인연을 감사하게 생각하고 좋은 영향력을 줄 수 있도록 노력하겠습니다.

< 인상주의 vs 후기인상주의 >

　인상주의(Impressionism)와 후기인상주의(Post-Impressionism)를 구분하는 가장 큰 특징은 화가의 개성과 감정 강조 및 주관적인 색채의 사용에 있습니다.

★ 인상주의 : 빛의 세기에 따라 시시각각 변화하는 자연의 모습을 표현하고, 일상생활의 즐거움과 동적인 인물을 포착하여 그리는 특징이 있습니다.

★ 후기인상주의 : 그림에 작가의 개성과 감정이 드러나고, 주관적인 색채와 붓질이 강조되는 특징이 있습니다.

▶ [그림 178] 폴 고갱, <이아 오라나 마리아 : 아베마리아 (우리는 마리아를 환영합니다)>, 1891, 캔버스에 유채, 113.7 x 87.7 cm, 미국 뉴욕 메트로폴리탄미술관 소장.

Paul   Gauguin
(1848-1903), French.

폴 고 갱

폴 고갱(Paul Gauguin, 1848.6.7-1903.5.8)은 프랑스 파리 출신의 후기 인상파 화가 입니다. 그는 어린 시절 극심한 가난에 시달렸으나 1871년 당시 나이 23세에 증권회사에 취직하면서 경제적인 여유가 생겼습니다. 1873년에는 덴마크 출신의 마테 소피 가드(1850-1920)와 결혼하고 5자녀를 낳았습니다. 고갱은 1879년 당시 연간 수입이 12만 5000달러, 한화로 약 1억 7천만 원이 넘는 거액을 벌어들이며 풍족한 결혼생활을 이어나갔습니다.

그러나 1882년 파리 증권 시장이 붕괴되면서 고갱은 더 이상 증권거래로 수입을 얻을 수 없었고, 그때부터 전업화가가 되기로 결심합니다. 당시 수입이 없었던 고갱을 대신하여 그의 아내 가드는 덴마크인 외교관들에게 프랑스어 수업을 하며 가족의 생계를 유지했습니다. 중산층의 행복한 결혼 생활은 고갱의 불안정한 미술 수입으로 인해 급속도로 무너졌고, 마침내 고갱이 문명생활에 대한 혐오와 불신으로 1891년 타히티 섬으로 떠나기로 결심한 날을 마지막으로, 그들은 1893년 고갱이 타히티 섬에서 파리로 돌아오자 완전히 결별하게 됩니다.

1873년 취미로 그림을 시작한 고갱은 인상파 화가 카미유 피사로, 빈센트 반 고흐와 친했고, 에드가 드가의 화풍을 좋아했습니다. 1882년에는 인상파 전시회에도 참여하였습니다. 그러나 당시 고갱의 그림은 대중들에게 인정받지 못했습니다. 그는 1891년 4월, 당시 43세의 나이에 타히티로 떠나 1893년 8월 고국 프랑스로 돌아오기 까지 약 2년간 타히티에 머물며 약 60여점의 회화와 조각 작품을 완성했습니다.

초기 그림 (1873 - 1882)

고갱의 초기 그림 보시면 고갱이 아닌 다른 화가 그림 같을 거예요.

1873년경부터 취미로 그림을 그리기 시작한 폴 고갱은 당대 대부분의 인상파 화가들처럼 초기에 사실주의 화풍의 그림을 그렸습니다. 전체적인 색상은 인상주의 풍경화에 비하면 상대적으로 어둡고, 갈색과 녹색의 주요 색채가 캔버스 공간에 차분하게 스며들어 있으며, 나무와 숲의 모습이 사실적으로 섬세하게 표현된 특징이 있습니다.

고갱은 1874년경 인상파 화가 카미유 피사로를 만나면서 작품 색채가 밝아집니다. 고갱의 작품은 어두운 사실주의 미술에서 밝고 빛나는 인상주의 화풍으로 변화합니다. 이처럼 초기는 고갱이 피사로와 친분을 유지하며 취미로 그림을 그리는 시기를 의미합니다.

[그림 179] 고갱, <고갱 부인의 초상>, 1878, 캔버스에 유채, 116 x 81 cm, 스위스 취리히 뷔흘러 재단 소장.

▶ 바느질 하는 고갱의 아내 마테 소피 가드의 모습을 그린 작품입니다.

[그림 179] 참고

중기 그림 (1882 - 1891)

경제적으로 윤택한 생활을 했던 고갱은 1882년 프랑스 주식 시장의 몰락으로 한순간에 증권회사 직업을 잃게 됩니다. 이때 고갱은 전업화가가 되기로 결심하고 파사로와 함께 2년간 인상주의 화풍의 공동 작업을 하며 인상파 전람회에 작품을 출품하기도 했습니다. 그러나 고갱의 작품은 그 당시 인기를 얻지 못했습니다.

고갱이 본격적으로 화가가 되기로 결심한 데에는 인상주의 에드가 드가의 영향도 있었습니다. 고갱은 1881년 인상파 그룹의 회원이었던 드가를 만나면서 그의 작품에 크게 매료되었고, 그의 화풍을 따라 그렸습니다.

1886년 여름 고갱은 브르타뉴 반도 퐁타벤으로 이주했습니다. 이곳으로 이사한 까닭은 다른 지역보다 물가가 저렴했기 때문입니다. 고갱은 퐁타벤에서 마을 사람들의 모습을 관찰하고 풍경화를 그렸습니다. 휴양지에 머물면서 고갱은 이국적 풍경과 원색의 자유로운 색채에 점차 관심을 갖게 됩니다. 고갱이 본격적으로 화가의 길로 들어선 1882년부터 1891년 타히티 섬으로 떠나기 전까지를 고갱의 중기 그림 시기로 봅니다. 중기 시기에는 고갱 그림을 대표하는 유명 작품들이 많습니다.

[그림 180] 고갱, <설교 뒤의 환영 (천사와 씨름하는 야곱)>, 1888, 캔버스에 유채, 74.4 x 93.1 cm, 영국 에든버러 스코틀랜드 국립미술관 소장.

▶ <설교 뒤의 환영 (천사와 씨름하는 야곱)>(1888) **[그림 180]**은 후기 인상주의를 대표하는 고갱의 유명한 그림입니다. 브르타뉴 지방의 여인들이 고유의상을 입고 있는 왼쪽 모습과 오른쪽 위 야곱의 환영이 한 화면에 동시에 존재하며, 가운데 대각선 구도의 나무에 그려진 붉은 선이 현실과 허상의 세계를 구분하면서도 두 세계를 연결하는 매개체 역할을 합니다.

현실과 상상의 세계가 신비로운 분위기를 형성하며 원색의 강렬한 주관색 색채가 과감하게 표현된 이 작품은 지난 시간 고흐의 작품에서도 언급하였듯이 일본 채색 목판화 우키요에의 영향으로 추정됩니다. 일본 판화는 대상을 단순하게 표현하고 동적인 대각선 구도와 실선의 강조 등이 특징입니다. 고갱 또한 당시 프랑스에 보급된 일본 판화에 영향을 받아 유사한 화풍의 그림을 그린 것입니다.

[그림 181] 고갱, <후광이 있는 자화상>, 1889, 나무에 유채, 72.9 x 51.3 cm, 미국 워싱턴 D.C.국립미술관 소장.

▶ 고갱의 <자화상>(1889) [그림 181]은 프랑스 브르타뉴 지방의 해안 도시 '르 플뒤'에서 고갱이 머물렀던 여인숙의 나무로 된 찬장 문에 걸어둔 작품으로, 고갱 그림 중 나무 패널에 그려진 유명한 작품입니다. 자화상을 마치 예수 그리스도처럼 위대한 존재로 표현하였으며, 자신감이 넘치는 고갱의 내면이 드러납니다.

후기 / 말기 그림 (1891-1903)

고갱이 타히티 섬으로 2회 여행을 떠나는 시기가 후기/말기에 해당합니다.

1st Tahiti period (1891-1893)

1891년 4월 배를 타고 2개월의 항해 끝에 타히티 섬 파페에테 (Papeete) 항구에 도착합니다. 고갱은 유럽 문명이 닿지 않은 미지의 원시 자연을 꿈꾸며 이곳에 도착했으나, 그가 처음 목격한 타히티의 수도 파페에테는 이미 인공 건물과 백인들의 지배하에 자연이 훼손된 모습이었습니다.

고갱은 그해 9월 파페에테를 떠나 마타이에아 섬으로 이동했습니다. 다행스럽게도 마타이에아 섬은 서양 문명이 오염되지 않은 소박하고 순수한 자연의 모습, 즉 고갱이 원하던 환경이었습니다. 고갱은 그곳에서 원주민의 건강한 모습과 열대의 밝고 원색적인 색채를 화폭에 담았습니다.

그러나 이곳에서의 생활도 오래 지속되지 못했습니다. 문명의 혜택을 누릴 수 없는 원시 자연에서 고갱은 점차 파리의 생활이 그리웠습니다. 그는 가족들과 재회하기로 결심하고 1893년 6월 4일 타히티를 떠나 그의 고향 프랑스로 돌아옵니다. 이 시기를 고갱의 타히티 섬 여행 1차시기로 봅니다.

[그림 182] 고갱, <타히티의 여인들>, 1891, 캔버스에 유채, 69 x 91.5 cm, 프랑스 파리 오르세 미술관 소장.

[그림 183] 고갱, <뭐가 새로워?>, 1892, 캔버스에 유채, 67 x 92 cm, 독일 드레스덴 신 거장 미술관 소장.

고갱은 44세 (1892년)에 13세 테하아마나와 결혼했습니다. 그러나 고갱은 프랑스에서 결혼한 마테 소피 가드와 이혼을 하지 않은 상태였기 때문에 중혼죄와 미성년자 약취라는 중범죄에 해당하는 행동이었습니다. 다만 당시 타히티 섬은 식민지 과정에서 유럽인들의 여인에 대한 성적 방종을 불문에 붙이는 경향이 있었기에 고갱이 처벌을 면할 수 있었습니다.

한편 고갱은 타히티로 갈 당시 매독에 걸려 있었으나, 타히티에서 거리낌 없이 10대 소녀들을 계속해서 만났습니다. 고갱은 13세 아내를 모델로 한 <유령이 그녀를 지켜 본다>(1892) **[그림 184]**를 그리고도 1893년 그녀를 홀로 둔 채 파리로 떠났습니다.

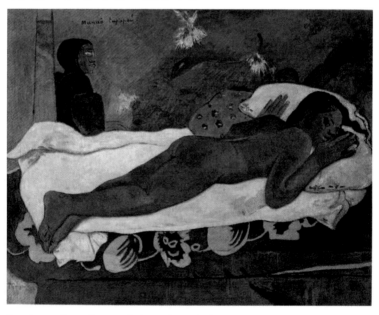

[그림 184] 고갱, <유령이 그녀를 지켜 본다>, 1892, 캔버스에 유채, 73 x 92 cm, 미국 뉴욕 버팔로 미술관 (올브라이트녹스 미술관) 소장.

후기 / 말기 그림 (1891-1903)
2nd Tahiti period (1895-1903)

1895년 6월에 파리를 떠난 고갱은 9월 초에 다시 타히티 섬 파페에테에 도착합니다. 하지만 젊은 시절에 완치하지 못한 매독 후유증과 병의 재발로 인해 고갱의 몸은 이미 성치 않은 상태였습니다. 고갱은 우울증과 병마에 시달리면서도 그림을 계속 그렸습니다. 당시 새 애인 파우라를 모델로 한 여러 작품과 <우리는 어디에서 왔으며, 우리는 무엇이며, 우리는 어디로 가는가?>(1897-98) [그림 185]는 고갱이 마지막 유언처럼 그린 최후의 대작입니다.

타히티 섬에서의 활동 시기 고갱의 작품은 자유롭고 원색적인 화풍이 돋보입니다. 다만 말기에 해당하는 1900년대 초, 고갱은 매독 관련 후유증과 모르핀 약물 중독 등으로 더 이상 그림 작업을 유지하지 못하고 1903년 사망합니다.

그의 행동에 논란이 많지만, 서양미술사에서 고갱이 구현한 신비로운 이국적 정서와 원시적 색채, 내면의 상징적 표출은 후대 마티스를 위시한 야수파와 입체파 피카소 등의 화가에게 큰 영향을 주었습니다.

[그림 185] 고갱, <우리는 어디에서 왔으며, 우리는 무엇이며,
우리는 어디로 가는가?>, 1897-98, 캔버스에 유채, 139.1 x 374.6 cm,
미국 메사추세츠 주 보스톤 순수미술박물관 소장.

"인생에서
원하는 것을 얻기 위한
첫 번째 단계는
내가 무엇을 원하는지를
결정하는 것이다."

- 폴 세잔 -

Paul Cézanne (1839-1906) ,
French.

폴 세잔

폴 세잔 (Paul Cézanne, 1839.1.19-1906.10.22)은 남프랑스 액상프로
방스에서 태어났어요. 1857년 'Free Municipal School of Drawing in
Aix'에서 미술을 배우기 시작했으나, 폴 세잔의 아버지 (루이스 아우구스
테 세잔: Louis-Auguste Cézanne, 1798~1886, 은행공동창업자)는 폴
세잔이 법을 전공하기를 원했어요. 그래서 폴 세잔은 1858년부터 1861년
까지 'University of Aix'에서 법학을 공부하며 미술 수업을 병행합니다.
그러나 1861년, 화가가 되기로 결심하고, 결국 그의 아버지가 바라는 법
학을 그만두며 미술의 도시 파리로 떠나게 됩니다.

파리에서 세잔은 인상파 화가 카미유 피사로를 만납니다. 세잔은 그보다 9세 많은 피사로를 스승으로 생각하며 인상주의 미술에 대한 기법과 정보를 피사로를 통해 보고 배웁니다. 피사로와 세잔은 스승과 제자로 친분을 쌓고 서로 협업하여 'Louveciennes', 'Pontoise'에서 10년 이상 함께 풍경화를 그리고 전시도 합니다. 그래서 세잔의 초기 작품은 풍경화가 많아요.

'생 빅투아르 산'의 의미

폴 세잔에게 생 빅투아르 산은 풍경 이상의 의미를 지닙니다. 세잔은 1882년부터 1906년까지 20여 년 동안 생 빅투아르 산 시리즈 90점 정도를 그렸습니다. 유화 40여 점, 수채화와 아크릴화 40여 점 입니다. 1년에 4점 이상, 24년을 꾸준히 그렸으니 세잔의 생 빅투아르 산 그리기에 대한 열정이 어느 정도인지 느껴지시겠지요?

세잔은 정물 하나를 완성할 때에도 몇 달씩 수정하며 시간을 소요했고, 100점 가까이 드로잉 연습을 거친 다음 그리는 완벽성과 신중함을 지닌 화가입니다.

폴 세잔은 43세부터 생을 마감하는 67세까지 24년간 생 빅투아르 산을 집중적으로 그렸습니다. 그가 생 빅투아르 산을 90점 가까이 많이 그린 까닭은, 어린 시절부터 함께 한 산에 대한 향수와 마음의 도피처, 안식처였기 때문으로 추정합니다.

폴 세잔은 프랑스 남부 엑상프로방스 마을에서 경제적으로 유복한 은행가 집안에서 태어났습니다. 그의 아버지 루이스 아우구스테 세잔 (Louis-Auguste Cézanne, 1898-1886)은 은행 공동 창업주로서 그의 아들 폴 세잔이 법조인이 되기를 바랐지만, 폴 세잔은 화가의 길을 고수합니다. 부모의 기대와 다른 길을 외롭게 가야 했던 세잔에게 유일한 탈출구이자 삶의 활력소는 바로 산 이라는 공간이었을 것입니다.

그래서 세잔은 산에 대한 그의 정서와 내면 심리를 반영한 생 빅투아르 산 시리즈를 통해 자연을 찬양하고, 예술에 대한 근본적 물음을 작품에 투영한 것으로 해석할 수 있습니다.

세잔은 1857년 처음 미술을 접했고, 1858년부터 1861년까지 아버지의 뜻에 따라 법대를 다니며 미술 공부와 병행했습니다. 하지만 결국 세잔은 법조인이 되기를 포기하고 본격적으로 화가의 삶을 위해 예술의 도시 파리로 향합니다. 그리고 파리에서 인상파 화가 카미유 피사로를 만납니다. 피사로의 풍경화는 세잔이 풍경화에 지대한 관심을 갖는 데 큰 영향을 주었습니다.

세잔이 풍경 소재로 택한 생 빅투아르 산은 나무가 없는 돌산입니다. 생 빅투아르 산은 엑상프로방스에서 험준한 바위산으로 알려져 있습니다. 돌산 바위는 석회암으로 이루어져 있어서 맑은 날 햇빛에 반짝이며 신비로운 에너지를 발산하는 장관을 연출합니다. 따라서 세잔에게 있어서 영험한 존재와도 같은 생 빅투아르 산은 대상의 완전한 모습과 고유 속성 및 본질을 추구하는 그의 예술관에 입각한 가장 완벽한 소재라고 할 수 있습니다.

40대 작품

'생 빅투아르(La Sainte-Victoire)' 어원은 고대 로마 장군 카이우스 마리우스(Caius Marius)가 토이톤족(Teutons, 독일 동유럽 민족의 옛 이름)을 포위한 산에 붙인 이름에서 유래하였습니다.

생 빅투아르 산은 엑상프로방스 지역에 사는 사람들에게는 수호신 같은 의미를 지니고 있습니다.

세잔이 40대에 그렸던 생 빅투아르 연작에서 전형적으로 볼 수 있는 형상은 바로 근경의 소나무 형상과 길게 뻗은 나뭇가지 입니다. 세잔은 자연을 관찰하여 그렸지만 생 빅투아르 산의 실제 모습을 그대로 그리지 않았습니다. 그에게 주된 관심 대상은 바로 자연 고유의 속성과 견고한 산의 모습, 그리고 올바른 풍경화의 구현이었습니다.

[그림 186] 참고

[그림 186] 세잔, <생 빅투아르 산>, 1887, 캔버스에 유채, 67 x 92 cm,
영국 런던 코톨드 미술 연구소 소장.

세잔은 중앙에 산을 배치하고 작은 나무와 집들로 산 주위를 장식하였
으며, 커다란 소나무로 배경과 그림 측면의 허전한 공간을 보완하였습니
다.

그의 작품은 풍경화의 기본 요소를 철저하게 지키며 완벽한 구도를 따
르고 있습니다. 즉 근경에 소나무, 중경에 집과 작은 나무들, 그리고 원경
에 산을 배치하여 이상적인 자연 풍경화의 모습을 질서정연하게 구현하고
있습니다.

50대 작품

세잔의 50대 초 생 빅투아르 산 작품 시리즈는, 산이 하늘과 유사한 푸른색으로 칠해졌고, 산 아래 풍경 요소들은 녹색으로 구분되는 특징이 있습니다. 이는 세잔이 산을 초월적인 존재로 생각하고 하늘의 속성을 생 빅투아르 산에 투영한 것으로 볼 수 있습니다.

[그림 187] 세잔, <생 빅투아르 산>, 1895 ,캔버스에 유채, 73 x 92 cm, 미국 펜실베이니아 반스 파운데이션 소장.

▶ 50대 중후반의 세잔의 생 빅투아르 산은 견고한 형상과 육중한 힘이 느껴지며, 나무와 집의 형태가 더욱 단순화, 패턴화 되는 특징이 있습니다. 이 그림은 후대 입체파 등장에 큰 영향을 줍니다. [그림 187] 참고

[그림 188] **파블로 피카소, <언덕 위의 집들>**, 1909, 캔버스에 유채, 81 x 65 cm, 개인 소장.

실제로 입체주의를 대표하는 화가 피카소, 브라크는 세잔풍 큐비즘, 분석적 큐비즘, 종합적 큐비즘을 거쳐 다양한 작품을 남겼는데, 초기에 세잔의 생 빅투아르 산의 영향을 크게 받은 것으로 추정되는 작품들이 있습니다. [그림 188] 참고

60대 작품

세잔은 63세경부터 라우브(Lauves) 지역에서 그림을 그렸습니다. 라우브는 세잔의 작업실이 있던 곳으로, 그의 화실에서 생 박투아르 산까지의 거리는 걸어서 10분정도였습니다. 세잔은 1902년 라우브에 작업실을 지었고 매일 산 근처로 가서 그림을 그렸습니다.

[그림 189] 세잔, <생 빅투아르 산>, 1902-04, 캔버스에 유채, 70x 89.5 cm, 미국 필라델피아 미술관 소장.

정물화의 아버지, 폴 세잔

세잔은 점차 인상주의에서 벗어나 독자적인 화풍을 모색했어요. 왜냐하면 인상주의는 순간의 찰나적 감성과 빛나는 표면의 형상을 빠르게 포착하여 그리는 미술양식이므로, 세잔이 추구하는 대상의 본질에 대한 탐구와는 이질감이 있었기 때문이에요. 세잔은 자연의 본질을 가장 정확한 형태, 즉 사람들이 대상을 볼 때 그 대상이 가장 확실한 모습으로 보일 수 있도록, 알기 쉽게 표현할 수 있는 화법을 연구했습니다.

그 결과 세잔은 '자연의 모든 형태는 구, 원기둥, 원뿔에서 비롯된다"는 명언을 남기며 그림 속 화면을 재구성 하고 형태를 기본 도형에 입각하여 그리기 시작했으며, 그의 작품 속 풍경은 건축적이고 엄숙한 분위기를 자아내게 됩니다. 뿐만 아니라 세잔은 그의 독자적인 미술 기법을 정물에 적용하여 많은 다작 시리즈를 통해 단단하면서도 질서가 있고, 힘이 느껴지는 다시점 적인 정물화를 그립니다.

처음 세잔 정물 그림을 보는 일반인들은 그림에서 정물의 시점이 다양하고 (예를 들어, 컵은 옆에서 본 모습으로 그려져 있고, 접시는 위에서 아래로 내려다 본 모습으로 표현되고), 빛의 방향도 불일치하여 혼란스러운 느낌을 가질 수 있어요. 그러나 다시점과 전통 명암 기법 파괴는 세잔이 추구하는 대상의 본질을 드러내는 것, 사물의 성격을 가장 잘 설명할 수 있는 모습으로 표현되었다는 점을 고려한다면, 세잔의 정물 작품을 현대적인 미술 관점으로 더 수월하게 감상하실 수 있을 것입니다.

Dark Period (1960-1970) :
초기 정물화, 어둠의 시기

[그림 190] 세잔, **<빵과 계란이 있는 정물>**, 1865, 캔버스에 유채,
59 x 76 cm, 미국 오하이오 신시내티 미술관 소장.

▶ <빵과 계란이 있는 정물>(1865) **[그림 190]**은 전체적으로 어둡고 명암의 극명한 대비가 특징인 작품입니다. 세잔은 다른 인상주의 화가들과 마찬가지로 처음에는 렘브란트의 바로크 풍의 극적인 명암법과 신고전주의, 사실주의 등의 미술사조의 영양을 받아 배경은 어둡고 중심 정물에 빛을 강하게 부각시켜서 밝게 나타내는 화법을 구사했습니다.

Impressionist Period (1870-1878): 인상주의 시기 정물화

그림 191] 세잔, <일곱 개의 사과 정물>, 1878, 캔버스에 유채, 17 x 36 cm, 개인 소장.

▶ 인상주의 시기 세잔의 정물화는 배경이 밝아지고, 전체적으로 색채가 화사하며, 붓 터치가 드러나는 특징이 있습니다. 카미유 피사로의 영향으로 인상주의 미술 기법을 배운 세잔은 다른 인상파 화가들처럼 그리다가, 점차 본인만의 견고한 스타일로 화풍이 변하게 됩니다.

Mature Period (1879-1890):
전성기 정물화, 성숙기

[그림 192] 세잔, <바구니가 있는 정물 (주방 테이블)>, 1888-1890, 캔버스에 유채, 65 x 81 cm, 프랑스 파리 오르세 미술관 소장.

▶ <바구니가 있는 정물>(1888-1890) [그림 192]를 보면, 모과는 옆에서 바라본 모습으로 모델링되어 있는 반면, 항아리는 위에서 비스듬하게 아래를 내려다 본 형상으로 그려져 있어요. 한 작품 안에 시점이 두 개 이상 있는 다시점 양식은 과거 르네상스 시대 이후 원근법을 고수하던 기존 미술 관념을 무너뜨리는 계기가 됩니다. 그래서 세잔을 근대 미술에서 현대로 이어주는 위대한 화가로 칭송하고 있어요.

Final Period(1890-1906): 말기 정물화

[그림 193] 세잔, <사과 바구니>, 1895, 캔버스에 유채, 62 x 79 cm, 미국 시카고 미술관 소장.

세잔의 누드화 <대수욕도> 시리즈

세잔은 정물화시리즈 '사과'로 히트를 치고, 풍경화시리즈 '생 빅투아르 산'으로 고향에 대한 향수를 불러일으킨 것도 모자라, 인물화시리즈 '대 수욕도'로 서양미술사에 정점을 찍습니다.

세잔은 인물화 작업을 위해 야외를 배경으로 한 목욕하는 사람을 주제 로 그림을 그렸습니다. 세잔은 평소 수줍음이 많고 내성적인 성격인데다 가 보수적인 이웃의 눈총이 두려워 누드 모델을 작업실로 불러서 그림을 그릴 수 없었다고 합니다. 그래서 그는 실제 누드 인물을 관찰하지 못하 고 대신 바로크 거장 루벤스의 인물화와 매너리즘 대표화가 엘 그레코의 누드화 작품들을 참고하면서 세잔의 상상력을 더해 새로운 누드화를 완성 했습니다.

세잔의 <대수욕도> 그림들을 살펴보시면 바로 느끼시겠지만, 세잔의 누드화는 생동감 보다는 정지된 듯 고요하고, 실제 인물의 모습이라기보 다는 추상적인 형상에 가깝습니다. 이는 세잔이 실제 인물을 관찰하여 그 리지 않고 상상속의 인물을 시각화했기 때문입니다. "자연은 원기둥(원 통), 구, 원추(원뿔)의 형태로 이루어져 있다"는 세잔의 유명한 말에서도 알 수 있듯이, 그는 대상을 있는 그대로 나타내는 것보다 본질적인 요소 를 제외한 군더더기 형태를 제거하고 화면에 재구성하여 견고하게 나타내 는 것을 목표로 하였습니다.

세잔은 현실 모습을 근본적인 3가지 요소 - 원기둥, 구, 원뿔 -로 압축 하여 진정한 리얼리티를 창조함으로써 현실과 추상을 접목하는 새로운 현대 예술의 길을 열었고, 후대 입체주의 등장 배경에 큰 영향을 주었다는 점에서 미술사적인 의의와 가치가 있습니다.

[그림 194] 세잔, <대수욕도>, 1900, 캔버스에 유채, 136 x 191 cm, 영국 런던 내셔널 갤러리 소장.

▶ 세잔의 <대수욕도>는 인물의 형태가 기하학적인 도형에 가깝고 단순화되어 있습니다. 마치 그대로 정지한 듯 딱딱한 동상처럼 멈춰 있는 인물들의 모습은 삼각형의 피라미드형 구조 속에서 안정감 있게 조화를 이룹니다. 세잔은 인물을 화면에 재배열, 구성함으로써 작품의 균형미와 조화를 표현하고자 하였습니다. 세잔의 수욕도 그림은 입체파의 선조에 해당됩니다.

[그림 195] 세잔, <대수욕도>, 1900-06, 캔버스에 유채, 208 x 249 cm,
미국 필라델피아 미술관 소장.

후기인상주의 화가 총정리

	고흐	고갱	세잔
키워드	자화상 노란 해바라기 원색 강렬한 붓질	타히티섬 상징주의 원시주의	사과 , 정물화의 아버지 현대미술의 선구자 원기둥 , 원뿔 , 구
주제	내면의 자아 심경 표출	원시적 자연의 신비로움 구현	자연의 영구적인 속성 표현
스타일 (구도, 색채)	물감을 두껍게 바르고 소용돌이 물결치는 임파스토 기법 표현	단순화된 형태와 상징적인 색채 사용, 윤곽선 강조	평면적이고 기하학적인 형태, 복수시점 구도
대표작품	<별이 빛나는 밤> <밤의 카페> <해바라기> <자화상>	<타히티의 여인들> <황색의 그리스도> <설교 뒤의 환영>	<사과 정물> <생 빅투아르 산> <대수욕도> <카드놀이하는 사람들>

<후기인상주의 3대 화가 비교 정리>

* 임파스토 (Impasto) : 유화 물감을 붓이나 나이프로 두껍게 바르는 미술 기법입니다. '임파스토(Impasto)'는 이탈리아어로 '반죽된' 이라는 뜻을 갖고 있습니다.

그림 목록

1부 르네상스

[그림 1] 얀 반 에이크, <붉은 터번을 두른 사나이>, 1433, 나무에 유채, 33.3 x 25.8 cm, 영국 런던 내셔널갤러리 소장.

[그림 2] 라파엘로, <아테네 학당>, 1510-11, 프레스코화, 500 x 770 cm, 이탈리아 물관 소장.

[그림 3] 라파엘로, <대공의 성모>, 1504-05, 패널에 유채, 84x55cm, 이탈리아 피렌체 피티 궁전 소장.

[그림 4] 레오나르도 다 빈치, < 모나리자>, 1503-06, 나무 패널에 유채, 77 x 53 cm, 프랑스 파리 루브르 박물관 소장.

[그림 5] 보티첼리, <코시모 메달을 든 남자의 초상>, 1474, 나무에 템페라, 57.5 x 44 cm, 이탈리아 피렌체 우피치 미술관 소장.

[그림 6] 보티첼리, <줄리아노 데 메디치>, 1478, 패널에 템페라, 54 x 36 cm, 독일 베를린 국립 회화관 소장.

[그림 7] 보티첼리, <동방박사의 경배>, 1475-76, 나무에 템페라, 134 x 111 cm, 이탈리아 피렌체 우피치 미술관 소장.

[그림 8] 보티첼리, <봄>, 1478-82, 패널에 템페라, 314 x 203 cm, 이탈리아 피렌체 우피치 미술관 소장.

[그림 9] 보티첼리, <비너스의 탄생>, 1483-85, 캔버스에 템페라, 172.5 x 278.9 cm, 이탈리아 피렌체 우피치 미술관 소장.

[그림 10] 보티첼리, <성도들과 함께 죽은 그리스도를 애도함>, 1490-95, 캔버스에 유화 및 템페라, 107 x 71 cm, 이탈리아 밀라노 폴디 페촐디 박물관 소장.
[
[그림 11] 레오나르도 다 빈치, <수태고지>, 1472, 패널에 유채 및 나무에 템페라, 98 x 217 cm, 이탈리아 우피치 미술관 소장.

[그림 12] 레오나르도 다 빈치, <지네브라 벤치의 초상>, 1474, 나무에 유채, 42 x 37 cm, 미국 워싱턴 D.C.국립미술관 소장.

[그림 13] 레오나르도 다 빈치, <손 연구>, 1474, 종이에 메탈포인트 (실버포인트), 21.4 x 15 cm, 개인 소장.

[그림 14] 레오나르도 다 빈치, <담비를 안고 있는 여인 (세실리아 갈레라니의 초상)>, 1489-90, 패널에 유채, 54.8 x 40.3 cm, 폴란드 크라쿠프 차르토리스키 미술관 소장.

[그림 15] 레오나르도 다 빈치, <최후의 만찬>, 1495, 석고, 템페라, 460 x 880 cm, 이탈리아 밀라노 산타마리아 델레 그라치에 성당 소장.

[그림 16] 레오나르도 다 빈치, <성 안나와 함께 있는 성모와 아기 예수>, 1503-19, 패널에 유채, 168 x 112 cm, 프랑스 파리 루브르 박물관 소장.

[그림 17] 라파엘로, <자화상>, 1499, 종이에 분필, 38 x 26 cm, 영국 옥스퍼드 아쉬몰리안 박물관 소장.

[그림 18] 라파엘로, <수태고지>, 1502-03, 나무에 유채, 27 x 50 cm, 개인 소장.

[그림 19] 라파엘로, <시스티나 성모>, 1513, 캔버스에 유채, 269.5 x 201 cm, 독일 드레스덴 고전 거장 미술관 소장.

[그림 20] 라파엘로, <시스티나 성모> 부분, 1513.

[그림 21] 라파엘로, <그리스도의 변용>, 1518-20, 캔버스에 유채 및 템페라, 405 x 279.5 cm, 바티칸 박물관 소장.

[그림 22] 도메니코 기를란다요, <최후의 만찬>, 1480, 프레스코화, 400 x 880 cm, 개인 소장.

[그림 23] 미켈란젤로, <세례자 성 요한과 함께 있는 성가족 (도니 톤도)>, 1505-06, 지름 120 cm, 이탈리아 피렌체 우피치 미술관 소장.

[그림 24] 미켈란젤로, <시스티나 천장화>, 1508-12, 프레스코화, 13 x 36 m, 바티칸 시스티나 성당 소장.

[그림 25] 미켈란젤로, <아담의 창조>, 시스티나 천장화 부분, 1508-12, 프레스코화, 280 x 570 cm, 바티칸 시스티나 성당 소장.

[그림 26] 미켈란젤로, <그리스도의 조상 히스기야>, 시스티나 천장화 그림 부분, 1508-12, 프레스코화.

[그림 27] 미켈란젤로, 시스티나 성당 천장화 '이뉴도 (Ignudo)' 부분 상세 이미지

[그림 28] 미켈란젤로, <최후의 심판>, 1537-41, 프레스코화, 1370 x 1220 cm, 바티칸 시스티나 성당 소장.

[그림 29] (좌) 라파엘로, <솔리 성모>, 1502, 보드에 유채, 52 x 38 cm, 독일 베를린 국립회화관 소장.

[그림 30] (우) 조르조네, <성모와 아기예수>, 1504, 캔버스에 유채, 44 x 36.5 cm, 러시아 상트페테르부르크 에르미타주 미술관 소장.

[그림 31] (좌) 라파엘로, <자화상>, 1506, 포플러 나무에 템페라, 이탈리아 피렌체 우피치 미술관 소장.

[그림 32] (우) 조르조네, <자화상>, 1510, 캔버스에 유채, 52 x 43 cm, 독일 브라운슈바이크 에르조그 안톤 울리히 박물관 소장.

[그림 33] 조르조네, <폭풍우>, 1508, 캔버스에 유채, 82 x 73 cm, 이탈리아 베네치아 아카데미아 미술관 소장.

[그림 34] 조르조네, <잠자는 비너스>, 1508-10, 캔버스에 유채, 108.5 x 175 cm, 독일 드레스덴 고전 거장 미술관 소장.

[그림 35] 티치아노, <거울을 보는 여인>, 1515, 캔버스에 유채, 93 x 76 cm, 프랑스 파리 루브르 박물관 소장.

[그림 36] 티치아노, <우르비노의 비너스>, 1538, 캔버스에 유채, 119 x 165 cm, 이탈리아 피렌체 우피치 미술관 소장.

[그림 37] 티치아노, <피에타>, 1576, 캔버스에 유채, 389 x 351 cm, 이탈리아 베네치아 아카데미아 미술관 소장.

[그림 38] 얀 반 에이크, <푸른 터번을 쓴 남자>, 1430-33, 나무에 유채, 22.5 x 16.6 cm, 루마니아 부크레슈티 국립미술관 소장.

[그림 39] 티치아노, <성모 승천>, 1516-18, 캔버스에 유채, 690 x 360 cm, 이탈리아 베네치아 산타 마리아 글로리오사 데이 프라리 성당 소장.

[그림 40] 히에로니무스 보쉬, <쾌락의 정원>, 1510-15, 패널에 유채, 중앙 패널 219.7 x 195 cm, 좌우 패널 각 219.7 x 96.5 cm, 스페인 마드리드 프라도 미술관 소장.

[그림 41] 얀 반 에이크, <읽고 있는 성모와 아기 예수>, 1433, 나무에 유채, 26.5 x 19.5 cm, 호주 멜버른 빅토리아 국립미술관 소장.

[그림 42] 티치아노, <자화상>, 1550-62, 캔버스에 유채, 96 x 75 cm, 독일 베를린 국립회화관 소장.

[그림 43] 얀 반 에이크, <아르놀피니의 결혼식>, 1434, 패널에 유채, 83.7 x 57 cm, 영국 런던 내셔널 갤러리 소장.

[그림 44] 얀 반 에이크, <아르놀피니의 결혼식> 거울 부분.

[그림 45] 보티첼리, <동방박사의 경배> 부분.

[그림 46] 벨라스케스, <시녀들> 부분.

[그림 47] 얀 반 에이크, <아르놀피니의 결혼식> 강아지 부분.

[그림 48] 얀 반 에이크, <아르놀피니의 결혼식>, 샹들리에 초 부분.

[그림 49] 브뢰헬, <그리스도와 열두 제자가 있는 티베리아스 호의 풍경>, 1553, 패널에 유채, 67 x 100 cm, 개인 소장.

[그림 50] 브뢰헬, <네덜란드 속담>, 1559, 패널에 유채, 117 x 163 cm, 독일 베를린 국립회화관 소장.

[그림 51] 브뢰헬, <네덜란드 속담> 부분.

[그림 52] 브뢰헬, <눈 속의 사냥꾼>, 1565, 패널에 유채, 117 x 162 cm, 오스트니아 비엔나 빈 미술사 박물관 소장.

[그림 53] 한스 홀바인, <최후의 만찬>, 1524-25, 나무에 유채, 65 x 48 cm, 스위스 바젤 시립미술관 소장.

[그림 54] 한스 홀바인, <대사들>, 1533, 패널에 유채, 209.5 x 207 cm, 영국 런던 국립미술관 소장.

[그림 55] 한스 홀바인, <영국 왕 헨리 8세의 초상화>, 1535, 캔버스에 유채, 28 x 20 cm, 개인 소장.

[그림 56] 한스 홀바인, <제인 시모어>, 1536, 패널에 유채, 65.4 x 40.7 cm, 오스트리아 비엔나 빈 자연사 박물관 소장.

[그림 57] 홀바인, <헨리 8세의 초상>, 1540, 패널에 유화 및 템페라, 88.5 x 74.5 cm, 이탈리아 로마 바르베리니 궁전 (국립고고학 박물관)소장.

[그림 58] 티치아노, <교황 율리우스 2세의 초상화>,1545-46, 캔버스에 유채, 99 x 82 cm, 이탈리아 피렌체 피티 궁전.

[그림 59] (우) 엘 그레코, <성모 승천 >, 1577, 패널에 유채, 401 x 228 cm, 미국 시카고 아트인스티튜트 소장.

[그림 69] (우) 엘 그레코, <수태고지>, 1600, 캔버스에 유채, 91 x 66.5 cm, 미국 오하이오 톨레도 미술관 소장.

[그림 61] 엘 그레코, <요한계시록의 다섯 번째 봉인의 개봉>, 1610, 캔버스에 유채, 224 x 194 cm, 미국 뉴욕 메트로폴리탄 미술관 소장.

2부 바로크, 로코코

[그림 62] 페테르 파울 루벤스, <십자가에서 내림>, 1617-18, 캔버스에 유채, 297 x 200 cm, 러시아 상트페테르부르크 에르미타주미술관 소장.

[그림 63] 안니발레 카라치, <피에타: 그리스도를 애도하는 성모>, 제단화, 1599-1600, 캔버스에 유채, 155 x 149 cm, 이탈리아 나폴리 카포디몬테 미술관 소장.

[그림 64] 카라바조, <성 도마의 의심>, 1602, 캔버스에 유채, 107 x 146 cm, 독일 포츠담 상수시 궁전 소장.

[그림 65] 카라바조, <성 마태오의 부름>, 1600, 캔버스에 유채, 343 x 323 cm, 이탈리아 로마 산 루이지 데이 프란체시 성당 소장.

[그림 66] 푸생, <피에타>, 1625-27, 캔버스에 유채, 57.8 x 48.7 cm, 프랑스 세르부르 토마장리 미술관 소장.

[그림 67] 푸생, <아르카디아에도 나는 있다>, 1637-38, 캔버스에 유채, 121 x 185 cm, 프랑스 파리 루브르 박물관 소장.

[그림 68] 푸생, <포시온의 매장> (포시온의 장례식이 있는 풍경), 1648, 캔버스에 유채, 114 x 175 cm, 영국 카디프 국립박물관 소장.

[그림 69] 루벤스, <레르마 공작의 승마 초상화>, 1603, 캔버스에 유채, 283 x 200

cm, 스페인 마드리드 프라도미술관 소장.

[그림 70] 티치아노, <뮐베르크의 황제 카를5세>, 1548, 캔버스에 유채, 332 x 279 cm, 스페인 마드리드 프라도미술관 소장.

[그림 71] 루벤스, <십자가를 세움>, 1609-10, 나무에 유채, 68 x 107 cm, 프랑스 파리 루브르박물관 소장.

[그림 72] 루벤스, <십자가에서 내림>, 제단화, 1612-14, 패널에 유채, 150 x 420 cm, 벨기에 안트베르펜 성당 소장.

[그림 73] 루벤스, <모자를 쓴 여인>, 1625, 나무에 유채, 79 x 55 cm, 영국 런던 내셔널 갤러리 소장.

[그림 74] 루벤스, <모피코트를 입은 비너스 :엘렌 푸르망의 초상>, 1630, 캔버스에 유채, 176 x 83 cm, 오스트리아 빈 미술사박물관 소장.

[그림 75] 렘브란트, <니콜라스 튈프 박사의 해부학 강의>, 1632, 캔버스에 유채, 216 x 169.5 cm, 네덜란드 헤이그 마우리츠호이스 미술관 소장.

[그림 76] 렘브란트, <자화상>, 1633, 패널에 유채, 70 x 53 cm, 프랑스 파리 루브르 박물관 소장.

[그림 77] 렘브란트, <야경 (야간 순찰대)>, 1642, 캔버스에 유채, 363 x 437 cm, 네덜란드 암스테르담 국립미술관 소장.

[그림 78] 렘브란트, <자화상>, 1643, 보드에 유채, 72 x 53 cm, 스페인 마드리드 티센 보르네미사 미술관 소장.

[그림 79] 렘브란트, <자화상>, 1669, 캔버스에 유채, 63.5 x 57.8 cm, 네덜란드 헤이그 마우리츠호이스 미술관 소장.

[그림 80] 게인즈버러, <자화상>, 1758-59, 캔버스에 유채, 76.2 x 63.5 cm, 영국 런던 국립초상화 미술관 소장.

[그림 81] 레이놀즈, <자화상>, 1753-55, 캔버스에 유채, 74 x 61.5 cm, 영국 테이트모던 갤러리 소장.

[그림 82] 게인즈버러, <여배우 사라 시돈스 부인>, 1785, 캔버스에 유채, 126.4 x 99.7 cm, 영국 런던 내셔널 갤러리 소장.

[그림 83] 레이놀즈, <비극적 뮤즈로서의 시돈스 부인의 초상>, 1784, 캔버스에 유채, 236.2 x 146 cm, 개인 소장.

[그림 84] 벨라스케스, <세비야의 물장수>, 1623, 캔버스에 유채, 106.7 x 81 cm, 영국 런던 앱슬리 하우스 (웰링턴 박물관) 소장.

[그림 85] 벨라스케스, <스페인의 펠리페 4세>, 1624-27, 캔버스에 유채, 210 x 102 cm, 스페인 마드리드 프라도 미술관 소장.

[그림 86] 벨라스케스, <후안 데 파레하>, 1650, 캔버스에 유채, 81.3 x 69.9 cm, 미국 뉴욕 메트로폴리탄 미술관 소장.

[그림 87] 벨라스케스, <교황 이노센트 10세의 초상>, 1650, 캔버스에 유채, 140 x 120 cm, 이탈리아 로마 도리아 팜필리 궁전 소장.

[그림 88] 벨라스케스, <라스 메니나스 (시녀들)>, 1656, 캔버스에 유채, 318 x 276 cm, 스페인 마드리드 프라도 미술관 소장.

[그림 89] 벨라스케스, <5세 마르가리타의 초상>, 1656, 캔버스에 유채, 105 x 88 cm, 오스트리아 빈 미술사박물관 소장.

[그림 90] 벨라스케스, <마르가리타의 초상화>, 1660, 캔버스에 유채, 121 x 107 cm, 오스트리아 빈 미술사 박물관 소장.

[그림 91] 와토, <키테라 섬의 순례>, 1717, 캔버스에 유채, 129 x 194 cm, 프랑스 파리 루브르 박물관 소장.

[그림 92] 부셰, <목욕하고 나오는 다이아나>, 1742, 캔버스에 유채, 57 x 73 cm, 프랑스 파리 루브르 박물관 소장.

[그림 93] 프라고나르, <그네>, 1767, 캔버스에 유채, 81 x 64.2 cm, 영국 런던 월리스 컬렉션 소장.

[그림 94] 프라고나르, <도둑 키스>, 1788, 캔버스에 유채, 45 x 55 cm, 러시아 상트페테르부르크 에르미타주 미술관 소장.

[그림 95] 샤르댕, <비눗방울>, 1733-35, 캔버스에 유채, 93 x 74.5 cm, 미국 뉴욕 메트로폴리탄 미술관 소장.

[그림 96] 샤르댕, <도자기 찻주전자가 있는 정물>, 1763, 캔버스에 유채, 47 x 57 cm, 프랑스 파리 루브르 박물관 소장

[그림 97] 베르메르, <진주 귀걸이를 한 소녀>, 1665, 캔버스에 유채, 44.5 x 39 cm, 네덜란드 헤이그 마우리츠호이스미술관 소장.

[그림 98] 베르메르, <우유를 따르는 여인 (부엌의 하녀)>, 1660, 캔버스에 유채,

45.5 x 41 cm, 네덜란드 암스테르담 국립미술관 소장.

3부 신고전주의, 낭만주의

[그림 99] 자크 루이 다비드, <알프스를 넘는 나폴레옹>, 1801, 261x221cm, 캔버스에 유채, 말메종성 박물관 소장

[그림 100] 다비드, <호라티우스 형제의 맹세>, 1784, 캔버스에 유채, 330 x 425 cm, 프랑스 파리 루브르 박물관 소장.

[그림 101] 다비드, <소크라테스의 죽음>, 1787, 캔버스에 유채, 130 x 196 cm, 미국 뉴욕 메트로폴리탄 미술관 소장.

[그림 102] 다비드, <마라의 죽음>, 1793, 캔버스에 유채, 165.1 x 128.3 cm, 벨기에 브뤼셀 벨기에 왕립미술관 소장.

[그림 103] 다비드, <1804년 12월 2일 교황 바오 7세의 나폴레옹 황제의 축성과 조세핀 황후의 대관식>, 1807, 캔버스에 유채, 621 x 979 cm, 프랑스 파리 루브르 박물관 소장.

[그림 104] 앵그르, <앉아 있는 무아테시에 부인의 초상>, 1856, 캔버스에 유채, 120 x 92.1 cm, 영국 런던 내셔널 갤러리 소장.

[그림 105] 앵그르, <발팽송의 목욕하는 여인>, 1808, 캔버스에 유채, 146 x 97.5 cm, 프랑스 파리 루브르 박물관 소장.

[그림 106] 앵그르, <그란데 오달리스크>, 1814, 캔버스에 유채, 91 x 162 cm, 프랑스 파리 루브르 박물관 소장.

[그림 107] 앵그르, <브롤리 공주의 초상>, 1853, 캔버스에 유채, 121.3 x 90.8 cm, 미국 뉴욕 메트로폴리탄 미술관 소장.

[그림 108] 들라크루아, <단테의 배 (지하 세계의 단테와 버질)>, 1822, 캔버스에 유채, 189 x 241.5 cm,
프랑스 파리 루브르박물관 소장.

[그림 109] 들라크루아, <사르다나팔루스의 죽음>, 1827, 캔버스에 유채, 392 x 496 cm, 프랑스 파리 루브르박물관 소장.

[그림 110] 들라크루아, <민중을 이끄는 자유의 여신>, 1830, 캔버스에 유채, 260 x 325 cm, 프랑스 파리 루브르박물관 소장.

[그림 111] 터너, <링컨 대성당 교회>, 1795, 캔버스에 유채, 45 x 35 cm, 영국 런던 대영박물관 소장.

[그림 112] 터너, <난파선>, 1805, 캔버스에 유채, 171 x 240 cm, 영국 런던 테이트 모던 미술관 소장.

[그림 113] 터너, <바다에서의 화재>, 1835, 캔버스에 유채, 171.5x220.5 cm, 영국 런던 테이트 모던 미술관 소장.

[그림 114] 터너, <노예선>, 1840, 캔버스에 유채, 90.8 x 122.6 cm, 미국 텍사스 휴스턴 미술관 소장.

[그림 115] 프리드리히, <바닷가의 수도승 (해변의 수도승)>, 1808-10, 캔버스에 유채, 110 x 171.5 cm, 독일 베를린 국립미술관 소장.

[그림 116] 프리드리히, <안개 바다 위의 방랑자>, 1818, 캔버스에 유채, 94.8 x 74.8 cm, 독일 함부르크 미술관 소장.

[그림 117] 프리드리히, <북극해>, 1824, 캔버스에 유채, 97.8 x 128.2 cm, 독일 함부르크 미술관 소장.

[그림 118] 토마스 콜, <여름 황혼>, 1827, 캔버스에 유채, 58.42 x 48.9 cm, 개인 소장.

[그림 129] 토마스 콜, <제국의 과정 : 황폐>, 1836, 캔버스에 유채, 100 x 160.7 cm, 미국 뉴욕 역사 협회 공립도서관 소장.

[그림 120] 토마스 콜, <타이탄의 잔>, 1833, 캔버스에 유채, 49 x 41 cm, 미국 뉴욕 메트로폴리탄미술관 소장.

[그림 121] 토마스 콜, <옥스보우 : 매사추세츠주 노샘프턴의 홀리요크 산에서 천둥번개가 친 후의 모습>, 1836, 캔버스에 유채, 130.8 x 193 cm, 미국 뉴욕 메트로폴리탄 미술관 소장.

[그림 122] 토마스 콜, <건축가의 꿈>, 1840, 캔버스에 유채, 136 x 214 cm, 미국 오하이오 톨레도 미술관 소장.

[그림 123] 장 프랑수아 밀레, <씨 뿌리는 사람>, 1850, 캔버스에 유채, 101.6 x 82.6 cm, 미국 보스톤 순수미술 박물관 소장.

[그림 124] 쿠르베, <검정개와 함께 있는 자화상>, 1841, 캔버스에 유채, 46.3 x 55.5 cm, 프랑스 파리 프티 팔레 미술관 소장.

[그림 125] 쿠르베, <자화상 : 파이프를 물고 있는 남자>, 1848-49, 캔버스에 유채, 45 x 37 cm, 프랑스 몽펠리에 파브르 미술관 소장.

[그림 126] 쿠르베, <만남 : 안녕하십니까, 쿠르베 씨>, 1854, 캔버스에 유채, 129 x 149 cm, 프랑스 몽펠리에 파브르 미술관 소장.

[그림 127] 쿠르베, <폭풍우가 치는 바다>, 1869, 캔버스에 유채, 117 x 160.5 cm, 프랑스 파리 오르세 미술관 소장.

[그림 128] 쿠르베, <사과와 석류가 있는 정물>, 1871, 캔버스에 유채, 44.5 x 61 cm, 영국 런던 내셔널 갤러리 소장.

[그림 129] 휘슬러, <녹색과 장미의 조화 : 음악실>, 1860-61, 캔버스에 유채, 6.3 x 71.7 cm, 개인 소장.

[그림 130] 휘슬러, <모자를 쓴 휘슬러의 초상>, 1857-59, 캔버스에 유채, 46.3 x 38.1 cm, 개인 소장.

[그림 131] 휘슬러, <흰색 교향곡 1번 : 조안나 히퍼난의 백인 소녀 초상>, 1862, 캔버스에 유채, 214.6 x 108 cm, 미국 워싱턴 D.C. 국립 미술관 소장.

[그림 132] 휘슬러, <회색과 검은색의 배열 1번, 화가의 어머니>, 1871, 캔버스에 유채, 144.3 x 162.5 cm, 프랑스 파리 오르세 미술관 소장.

[그림 133] 휘슬러, <녹턴: 블루 앤 골드 - 사우샘프턴 워터>, 1872, 캔버스에 유채, 50.5 x 76.3 cm, 개인 소장.

[그림 134] 휘슬러, <녹턴 : 블루 앤 골드 - 올드 배터시 브리지>, 1872-75, 캔버스에 유채, 66.6 x 50.2 cm, 영국 런던 테이트 브리턴 소장.

[그림 135] 밀레, <이삭 줍는 사람들>, 1857, 캔버스에 유채, 84 x 111 cm, 프랑스 파리 오르세 미술관 소장.

[그림 136] 밀레, <만종>, 1857-59, 캔버스에 유채, 55.5 x 66 cm, 프랑스 파리 오르세 미술관 소장.

5부 인상주의

[그림 137] 클로드 모네, <일본식 다리>, 1899, 캔버스에 유채, 93 x 74 cm, 미국 뉴욕 메트로폴리탄 미술관 소장.

[그림 138] 모네, <인상 : 해돋이>, 1872, 캔버스에 유채, 48 x 63 cm, 프랑스 파리 모르모탕미술관 소장.

[그림 139] 에두아르 마네, <발코니>, 1869, 170 x 124.5 cm, 캔버스에 유채, 프랑스 파리 오르세 미술관 소장.

[그림 140] 마네, <올랭피아>, 1863, 캔버스에 유채, 130x191cm, 프랑스 파리 오르세 미술관 소장.

[그림 141] 알렉상드르 카바넬, <비너스의 탄생>, 1863, 캔버스에 유채, 130x225cm, 프랑스 파리 오르세 미술관 소장.

[그림 142] 마네, <피리 부는 소년>,, 1866,160 x 97 cm, 캔버스에 유채, 프랑스 파리 오르세 미술관 소장

[그림 143] 모네, <센 강변의 베네쿠르>, 1868, 캔버스에 유채, 81.5 x 100.7 cm, 미국 시카고 미술연구소 소장,

[그림 144] 클로드 모네 <건초더미> 시리즈, 1890-91, 캔버스에 유채.

[그림 145] 모네, <루앙 대성당> 시리즈, 캔버스에 유채, 1894.

[그림 146] 모네, <연꽃>, 1906, 캔버스에 유채, 87.6 x 92.7 cm, 개인 소장.

[그림 147] 르누아르, <양산을 쓴 리즈>, 1867, 캔버스에 유채, 182 x 118 cm, 독일 에센 폴크방 미술관 소장.

[그림 148] 르누아르, <물랭 드 라 갈레트의 무도회>, 1876, 캔버스에 유채, 131 x 175 cm, 프랑스 파리 오르세 미술관 소장.

[그림 149] 르누아르, <뱃놀이 일행의 오찬 (보트 파티에서의 오찬)>, 1880-81, 캔버스에 유채, 129.5 x 172.7 cm, 미국 워싱턴 D.C. 필립스 컬렉션 소장.

[그림 150] 르누아르, <대수욕도>, 1887, 캔버스에 유채, 115.6 x170cm, 미국 필라델피아 미술관 소장.

[그림 151] 드가, <무대 위의 무희>, 1877, 종이에 파스텔, 58 x 42 cm, 프랑스 파리 오르세 미술관 소장.

[그림 152] 드가, <발레수업>, 1874, 캔버스에 유채, 85 x 75 cm, 프랑스 파리 오르세 미술관 소장.

[그림 153] 드가, <압생트 잔>, 1876, 캔버스에 유채, 92 x 68 cm, 프랑스 파리 오르세 미술관 소장.

[그림 154] 드가, <욕조>, 1886, 판지에 파스텔, 60 x 83 cm, 프랑스 파리 오르세 미술관 소장.

[그림 155] 피사로, <몽마르뜨 대로 아침, 흐린 날씨>, 1897, 캔버스에 유채, 73 x 91 cm, 오스트레일리아 멜버른 빅토리아 국립 미술관 소장.

[그림 156] 피사로, <몸마르뜨 대로, 햇빛과 안개 낀 아침>, 1897, 캔버스에 유채, 54 x 66 cm, 개인 소장.

[그림 157] 피사로, <로열 다리와 플로르 파빌리온>, 1903, 캔버스에 유채, 54.5 x 65 cm, 프랑스 파리 프티 팔레 미술관 소장.

[그림 158] 피사로, <로열 다리와 플로르 파빌리온>, 1903, 캔버스에 유채, 54 x 65 cm, 개인 소장.

[그림 159] 피사로, <창문 너머로 보이는 풍경, 에라니>, 1886-88, 캔버스에 유채, 81 x 65 cm, 영국 옥스퍼드 아쉬몰리안 박물관 소장.

[그림 160] 피사로, <석양과 안개, 에라니>, 1891, 캔버스에 유채, 54 x 65 cm, 개인 소장.

6부 신인상주의, 후기인상주의

[그림 161] 조르주 쇠라, <에펠탑>, 1889, 나무에 유채, 24 x 15 cm, 미국 샌프란시스코 미술관 소장

[그림 162] 쇠라, <그랑드 자트섬의 일요일 오후>, 1884-86, 캔버스에 유채, 207.5 x 308 cm, 미국 시카고 미술관 소장.

[그림 163] 쇠라, <그랑드 자트>, 1884, 캔버스에 유채, 69.9 x 85.7 cm, 개인 소장.

[그림 164] 쇠라, <서커스>, 1890-91, 캔버스에 유채, 185 x 152.5 cm, 프랑스 파리 오르세 미술관 소장.

[그림 165] 시냑, <우물가의 여자들> , 1892, 캔버스에 유채, 195 x 131 cm, 프랑스 파리 오르세 미술관 소장.

[그림 166] 시냑, <생 트로페의 소나무>, 1909, 캔버스에 유채, 72 x 92 cm, 러시아 모스크바 푸시킨 박물관 소장.

[그림 167] 시냑, <베니스, 핑크 클라우드>, 1909, 캔버스에 유채, 73 x 92 cm, 오스트리아 빈 비엔나 알레르티나 미술관 소장.

[그림 168] 시냑, <앙티브, 타워>, 1911, 캔버스에 유채, 66 x 82.3 cm, 오스트리아 빈 비엔나 알베르티나 미술관 소장,

[그림 169] 빈센트 반 고흐, <아를의 반 고흐의 방>, 1888, 캔버스에 유채, 57.5x 74cm, 프랑스 파리 오르세 미술관 소장.

[그림 170] 고흐, <알뿌리 꽃밭>, 1883, 캔버스에 유채, 48.9 x 66 cm, 미국 워싱턴 D.C. 내셔널 갤러리 소장.

[그림 171] 고흐, <파리 근교에서 가래를 든 남자>, 1887, 캔버스에 유채, 48 x 75 cm, 개인 소장.

[그림 172] 고흐, <15송이 해바라기 꽃병>, 1888, 캔버스에 유채, 95 x 73 cm, 네덜란드 암스테르담 반 고흐 미술관 소장.

[그림 173] 고흐, <해바라기>, 1888, 캔버스에 유채, 91x 72cm, 독일 뮌헨 노이에 피나코텍 미술관 소장.

[그림 174] 고흐, <론 강의 별이 빛나는 밤>, 1888, 캔버스에 유채, 72.5 x 92 cm, 프랑스 파리 오르세 미술관 소장.

[그림 175] 고흐, <밤의 카페>, 1888, 캔버스에 유채, 72.4x 92.1cm, 미국 뉴헤이븐 예일대 미술관 소장.

[그림 176] 고흐, <별이 빛나는 밤>, 1889, 캔버스에 유채, 73.7 x 92.1 cm, 미국 뉴욕 현대미술관 MoMA 소장.

[그림 177] 고흐, <나무 뿌리>, 1890, 캔버스에 유채, 50x 100cm,네덜란드 암스테르담 반 고흐 미술관 소장.

[그림 178] 폴 고갱, <이아 오라나 마리아 : 아베마리아 (우리는 마리아를 환영합니다)>, 1891, 캔버스에 유채, 113.7 x 87.7 cm, 미국 뉴욕 메트로폴리탄미술과 소장.

[그림 179] 고갱, <고갱 부인의 초상>, 1878, 캔버스에 유채, 116 x 81 cm, 스위스 취리히 뷔흘러 재단 소장.

[그림 180] 고갱, <설교 뒤의 환영 (천사와 씨름하는 야곱)>, 1888, 캔버스에 유채, 74.4 x 93.1 cm, 영국 에든버러 스코틀랜드 국립미술관 소장.

[그림 181] 고갱, <후광이 있는 자화상>, 1889, 나무에 유채, 72.9 x 51.3 cm, 미국 워싱턴 D.C.국립미술관 소장.

[그림 182] 고갱, <타히티의 여인들>, 1891, 캔버스에 유채, 69 x 91.5 cm, 프랑스 파리 오르세 미술관 소장.

[그림 183] 고갱, <뭐가 새로워?>, 1892, 캔버스에 유채, 67 x 92 cm, 독일 드레스덴 신 거장 미술관 소장.

[그림 184] 고갱, <유령이 그녀를 지켜 본다>, 1892, 캔버스에 유채, 73 x 92 cm, 미국 뉴욕 버팔로 미술관 (올브라이트녹스 미술관) 소장.

[그림 185] 고갱, <우리는 어디에서 왔으며, 우리는 무엇이며, 우리는 어디로 가는가?>, 1897-98, 캔버스에 유채, 139.1 x 374.6 cm, 미국 메사추세츠 주 보스턴 순수미술박물관 소장.

[그림 186] 세잔, <생 빅투아르 산>, 1887, 캔버스에 유채, 67 x 92 cm, 영국 런던 코톨드 미술 연구소 소장.

[그림 187] 세잔, <생 빅투아르 산>, 1895 ,캔버스에 유채, 73 x 92 cm, 미국 펜실베이니아 반스 파운데이션 소장.

[그림 188] 파블로 피카소, <언덕 위의 집들>, 1909, 캔버스에 유채, 81 x 65 cm, 개인 소장.

[그림 189] 세잔, <생 빅투아르 산>, 1902-04, 캔버스에 유채, 70x 89.5 cm, 미국 필라델피아 미술관 소장.

[그림 190] 세잔, <빵과 계란이 있는 정물>, 1865, 캔버스에 유채, 59 x 76 cm, 미국 오하이오 신시내티 미술관 소장.

[그림 191] 세잔, <일곱 개의 사과 정물>, 1878, 캔버스에 유채, 17 x 36 cm, 개인 소장.

[그림 192] 세잔, <바구니가 있는 정물 (주방 테이블)>, 1888-1890, 캔버스에 유채, 65 x 81 cm, 프랑스 파리 오르세 미술관 소장.

[그림 193] 세잔, <사과 바구니>, 1895, 캔버스에 유채, 62 x 79 cm, 미국 시카고 미술관 소장.

[그림 194] 세잔, <대수욕도>, 1900, 캔버스에 유채, 136 x 191 cm, 영국 런던 내셔널 갤러리 소장.

[그림 195] 세잔, <대수욕도>, 1900-06, 캔버스에 유채, 208 x 249 cm, 미국 필라델피아 미술관 소장.

참 고 문 헌

로리 슈나이더 애덤스 지음/ 박은영 옮김, 『미술사 방법론』, 서울하우스, 2022.

아르놀트 하우저 지음/ 백낙청, 반성완 옮김, 『문학과 예술의 사회사 2. 르네상스 매너리즘 바로끄』, 창비, 2024.

아르놀트 하우저 지음/ 염무용, 반성완 옮김, 『문학과 예술의 사회사 3. 로꼬꼬 고전주의 낭만주의』, 창비, 2022.

양정무, 『난생 처음 한번 공부하는 미술 이야기 6』, 사회평론, 2020.

E.H. 곰브리치 지음/ 백승길, 이종승 옮김, 『서양미술사』, 예경, 2021.

캐롤 스트릭랜드 지음/ 김호경 옮김, 『클릭, 서양미술사』, 예경, 2023.

네이버 지식백과

서양미술사를 이해하는 데 필요한 개괄 도서를 소개합니다. 일반인들을 위한 도서이므로, 심도 있는 내용을 다룬 전공 관련 서적들은 이 책에서 제외하였습니다.

작가의 말

그림은 화가의 언어입니다.

우리가 책을 읽는 것은 정보의 수집과 내용의 이해도 있지만, 대부분 저자의 생각을 알기 위해서 입니다. 서양미술사 또한 마찬가지라고 생각합니다. '그림'은 곧 '화가의 언어'입니다. 당대 화가들은 그림을 통해 자신의 생각과 미술의 본질, 사회를 향한 발언 등 여러 가지를 표현했습니다. 그렇기에 우리는 화가를 알면 그의 그림을 쉽게 이해할 수 있고, 그림을 통해 그 시대와 역사적 맥락도 함께 이해할 수 있게 됩니다.

제가 화가이기에 자신 있게 주장할 수 있습니다. 화가는 그림으로 인생을 말하고, 그림으로 세상의 소망을 이야기 하는 사람입니다. 우리는 서양미술사에서 역사의 흐름과 작품의 특징에 앞서 그림을 그린 화가가 누구인지를 반드시 알아야 합니다. 왜냐하면 그림의 주체는 화가이기 때문입니다. 사회적 요인, 가정 환경의 요인 등에 영향을 받았어도 결국 이를 어떤 관점으로 생각하고 그림으로 표현할지 방향을 결정하는 사람은 화가입니다. 『아트메세나의 서양미술사 첫걸음』은 당대 화가의 삶과 그림이야기로 그 시대의 미술 사조를 소개하는 책입니다. 이 한 권의 책을 통해 여러분은 서양미술사의 흐름을 쉽게 정리할 수 있을 뿐만 아니라, 미술 교양 안목이 높아지리라 확신합니다.

감사의 글

메세나님, 역시나~~ 맘에 쏙!
본인이 자신 있다는데 누가 감히 평을 하겠습니까~~!
시작은 굿~ 입니다.

그 동안 꼼짝 안하신 이유가 이거였을까요?

그 동안, 올리신 명화들이 실리는 건가요?
그 깨알같은 해설도.. 훌륭한 결단이십니다.

감사합니다는 생략요 ㅋㅋ   (소망 님)

메세나님~~서양미술사 책 출간 넘 축하드립니다.
언젠간 꼭 책으로 나올거라고 기대하고 있었습니다.
서양미술사에 관해서 문외한이던 제가 아트메세나님 서양미술사 이야
기들을 블로그를 통해 읽으면서 변천하는 미술양식과 다양한 화가들
의 삶과 작품을 보고 느끼고 이해할 수 있었습니다.
미술을 잘 모르는 사람도 흥미를 가지고 즐길 수 있도록 화가
와 작품에 대한 친절한 해석과 지식들을 탐닉할 수 있는 메세
나님의 서양미술사 이야기가 블로그 세상을 넘어 많은 독자에
게 미술세계의 재미를 선사할 수 있게 되었네요 정말 축하드립
니다^^ 퇴고까지 파이팅이예요~
                                        (엔나 님)

책 출간 축하드립니다! 기대됩니다!   (오경자 님)

아트메세나님의 '서양미술사 첫걸음'을 엿보기 하다 보니 맛보기가 됐어요.^^

출간 진심으로 축하드려요.   (맑았음 님)

미술 1도 모르는데 아트메세나님 블로그 보면서 전체 흐름도 공부하면서 그림도 보면서 공부하고 있습니다. 재밌습니다.

                                        (neo9313 님)

모두 학창시절에 미술을 배웠을 겁니다.
그런데 성인이 되고 나서는 미술과 관련된 업을 하지 않고는 예술에 관해 사색하기란 쉽지 않습니다.

이때 필요한 책이 아트메세나님의 서양 미술사이지 않을까라는 생각이 드네요.

추억 깊은 곳에 자리한 미술 상자의 뚜껑을 살포시 열어 예술의 지성에 단비가 되어줄 책일 것 같아 기대가 크네요^^

                                        (키현 님)

그림을 왜 하나하나 파악해서 설명을 할까! 아무리 설명해주셔도 이해도 안 되고 갸우뚱했는데..점점 설명대로 보이고 비교도 할 수 있었던 거 같아요.^^

누군가가 그림을 읽어 준다는 게 이런 느낌이다 라고 점점 이해하게 된 시간이였네요.^^   (우연운명 님)

아트메세나님의 블로그도슨트 글을 읽으면 단순히 그림에 대한 설명뿐 아니라 평소 어렵게만 느껴져서 가까이 하기엔 너무 먼 서양미술사, 작품들에 대한 배경지식과 작가에 대한 재미있는 비하인드 스토리까지 알게 되어 어느새 위대한 화가들과 조금 더 가까워지는 느낌이 들어요.^^
책 출간 정말 축하드려요~~　　　　　　　　(art부귀영화　님)

너무너무 축하드립니다.
책을 기다린것 처럼 반갑고 설레이네요.
출간 하시리라 예상은 했습니다.
실력이 그 이상이시니까요~~　　　　　　(초이스조소장　님)

선생님 안녕하세요.^^ 정말 쉽지 않은 일인데, 대단하시고 진심으로 응원 드립니다. 선생님의 책으로 미술사가 더욱 풍성해질 것 같아요. 여름철 건강관리 잘 하시면서 작업하셨으면 합니다. 책 나오면 저는 사서 보는 걸루.　　　　　　(그림읽는　sona　님)

그림에 대해서 잘 모르지만, 계속 보다 보니.. 그림이 더 알고 싶어지네요. 전 책 나오면 사보겠습니다. 많이 궁금합니다.
　　　　　　　　　　　　　　　　　(기글리쉬　님)

<아트메세나의 서양미술사 첫걸음>출간 축하드려요

블로그에서도 방대한 양의 서양미술사를 잘 정리하셔서 일반인도 미술에 관심을 가질 수 있도록 도와주셨어요.

미술 사조별 풍부한 설명과 그림들은 늘 헷갈렸던 서양 미술사를 정리하는 데 많은 도움이 되었어요.

매일 올려주신 글을 읽으며 언제 이렇게 정리를 다 하실까 생각될 만큼 늘 알차고 풍부한 내용 좋았습니다.

출간 하시는 책 내용도 부족함 없는 완벽이 되리라 생각합니다.

늘 그러셨으니까요.   (은아디 님)

세나님의 이름이 들어간 미술사 책이라니... 설렙니다. 사실 이처럼 재미있게 미술사를 접한적이 없어서.

세나님의 미술사 관련 포스팅에 나 또한 신이 나서 댓글 달고 했던 시간들이 생각이 납니다.

지금부터 쓰기 시작했지만 7월에 나온다니... 세나님의 추진력은 무엇!!!!

역시 멋지다는 생각을 해보면서.

이러니 안 반할수가 있나 싶어요

앞으로 나올 책 출간 미리 미리 진심으로 축하드리고

책 사들고 싸인 받으러 갈테니

이 만남 또한 너무나 기대가 됩니다. ^^   (사유하 님)

응원 드립니다.   (나리 님)

세나님 출간 축하드립니다.^^

서양미술사의 흐름을 알기 쉽게 말한다는 게 참으로 어렵다는 것을 몸소 체험 했습니다.
르네상스부터 폴 세잔까지.
모자리자에서 생 빅투아르 산까지.
수많은 변천사를 어떤 이야기로 풀어내실지 사뭇 기대가 됩니다.

유명 화가의 화풍에는 그 시대의 기쁨과 슬픔을 대표하는 마음이 담겨 있죠.
르네상스와 후기 인상주의라는 건 미술 뿐 아니라, 그 시대를 대표하는 일종의 문화라고 봅니다.
그 문화가 세부적인 예술 분야와 꼭 일치한다고 보진 않습니다만 그래도 그 맥락은 함께 하겠죠.

르네상스는 미술의 태어남이고, 후기 인상주의(세잔)는 미술이 추상적인 흐름으로 바뀌기 전의 라스트 댄스라고 봅니다.
서양미술사의 흐름 속에 어메이징 아티스트 세나님의 삶의 역사가 또한 묻어나지 않을까 해요.
역사는 사실이지만, 그 사실에 대한 평가는 지극히 주관적이니까요.

그 스토리로 빠져 드는 시간이 기대 됩니다.^^
(천 상 태 자 님)

우와~메세나님 책 출간 진심으로 축하드려요. 블로그에서 우리만 보기엔 너무 아까웠어요.
메세나님 친절하고 섬세한 서양미술사 이야기가 미술에 대한 이해와 관심을 높여주리라 기대합니다.
(참 미 님)

와!

어쩐지~그냥 블로그에만 올리시는 건 아깝다는 생각이 이 문외한도 들었었는데 책으로 출판하신다 하니 참 기쁩니다.

샘! 진심으로 축하드립니다.   (lotus 님)

아트메세나님 블로그 처음 읽을 때부터 책으로 내시면 정말 베스트셀러가 될 것 같다는 생각을 했었는데, 이렇게 진짜로 책을 내신다니 제가 너무 설렙니다^^ 정말정말 축하드리고 많은 분들이 아트메세나님 책 읽고 미술과 더 친해질 수 있으면 좋겠습니다! 아트메세나님 블로그 팬으로서 진심으로 축하드립니다.^^

(물랑이 님)

출간 미리 축하드려요. 그림에 대한 해설 책을 몇 권 읽었는데 미술관 투어를 해보니 미술사를 알면 좀 더 이해도 되고 감상하게 되더라구요. 읽어도 또 잊어버릴 수 있지만 초보자들이 좀 더 쉽게 접할 수 있는 미술사 책을 기대해 봅니다.

(11개의별 Cadeau 님)

와.. 바쁜 와중에도 진짜 대단하세요!!

책을 낼꺼라고는 생각지도 못했는데 너무 멋져요

(포니봉봉 님)

우~아 아트메세나님. 그래서 더더 바쁘셨군요. 너무 너무 축하드려요. 언니분 때문에 정신 없으셨을텐데, 정말 내면이 강한 분이셨네요. 너무너무 축하드려요. 전 미술에 문외한이지만, 아트메세나님 통해서 그림을 하나씩 알아가서 너무 행복했어요. 그래서 며칠 전 현대미술관 그림들 볼 때도 내내 아트메세나님을 떠올리기도 했구요. 이런 책은 무조건 사서 소장해야지요~~ 언젠간 꼭 사인을 받을 날을 기대해 보면서요. ^^   (치와와 님)

아트메세나님~~책 출간 예정 정말 축하 드립니다!
역시 추진력과 실행력 대단하게 느껴집니다.
뭐든지 '아는 만큼 보인다'지만 미술의 세계는 특히 더 그러한 것 같아요. 미술 특히 서양미술사는 방대해서 더욱 그러한 듯요. '아는 만큼 보이도록' 명확하면서도 친절하게 올려주는 글과 그림이 책으로 나온다니 너무 반갑고 기쁩니다.^^   (사랑애 님)

아트메세나님, 책 출간 진심으로 축하드립니다!!!
(전 그냥 축하 메시지만 전하고 싶어서 몇 자 남겨요.)
책 끝까지 마무리 잘하시길 힘껏 응원합니다.
굿럭!   (책방지기 윤슬 님)

작가로써도 .....꼭 성공하시길! 응원합니다!
                                   (육공파파 은파파 님)

아트메세나 님~ 돌아오시자마자 이렇게 기쁜 소식을 알려주시다니요~!!
전 사실 전자책보다는 종이의 느낌이 좋아서 종이 책을 선호하는 편인데, 메세나님의 재미있는 서양 미술 이야기를 종이 책으로 틈날 때마다 바로 찾아서 읽을 수 있다는 점이 너무 좋습니다^^
게다가 책을 이번 주에 출판하시는 거겠죠..? (제가 글을 늦게 읽었네요 ;;; 그래도 23일 안에 남길 수 있어 너무 다행입니다^^)
메세나님의 추진력이 정말 멋지시고 배워갑니다~!!

메세나님이 없는 동안 제가 좀 정신적으로 다운되고 힘든 상태였는데 이렇게 소식을 알게 되니 너무 반갑고 덩달아 기분이 좋아지네요.
출판 소식 넘 축하드리고, 메세나님만의 소중한 서양 미술사 얘기가 고스란히 담긴 책이 너무 기대됩니다!!
파이팅이에요 ♥   (이든 맘 님)

축하드립니다.   (토토맘 님)

너무 멋지세요!!! 축하합니다!   (도현ss 님)

기대되네요. 나오면 구매해 볼게요. 나는 명상일지 책을 준비해서 전자출판 예정입니다.   (왕의 그림세상 님)

아트메세나님, 책 출간 진심으로 축하드립니다 !!
저는 미술에 대해 전혀 모르지만, 아트메세나님의
블로그 글을 보면서 '미술도 재미있는 분야구나'
라는 생각을 해 볼 수 있었습니다.
늘 응원합니다. 홧팅팅 ! ^^   (100억농부 님)

저는 그림을 좋아하지만 그림을 이해하는 정보가 없는 사람이지만 아
트메세나님의 서양 그림사를 열심히 따라 읽으며 그림에 대해
알게 되서 좋았어요.
책을 내신다니 또 기대가 됩니다. 응원해요^^
                                    (반짝반짝빛나는 님)

대단하십니다 역시 메세나님은 보통 분이 아니십니다.
능력이 있는 분이니 잘 하실 거예요
이제 작가라는 타이틀이 더 생기겠네요.
화가, 선생님, 블로거, 유투브, 작가 등.
너무 다재다능하신 이쁜 메세나님^^
건강 잘 챙기시구요, 책 출간 꼭 이루어 내십시요~
늘 응원합니다.   (푸디케어맘 님)

축하합니다.^^   (셀라Selah 님)

책 출간 축하드립니다~♡   (다이애나 님)

메세나님 새로운 출발점에 서신 것 같군요

그동안 블로그를 통해 알게 된 메세나님의 열정과 노력과 정성의 수고의 결실이라고 생각합니다.^^
미술을 좋아하고 가끔씩 미술관에 가기는 했지만, 또 20대때 미술사(어마어마한 두께)와 화집세트도 구입한 저였지만
그저 방치된 채 지내왔던 것 같습니다.

그래도 결혼 후에 구입한 첫 그림 액자가 고흐의 <해바라기>였답니다.
그 당시 명동 뒷골목에서 팔던 카피지만요ㅎㅎ
그래도 아직 저의 식탁을 지키고 있으니, 미술에 담긴 정신이란 한 영혼의 spirit과도 같다고 생각합니다.

그랬던 제가 메세나님의 블로그를 만난 것은 저에게 좋은 기회였다고 생각합니다.
블로그를 읽으면서 호기심을 느꼈고 메세나님의 사려 깊은 설명과 화가며 화풍에 대한 디테일한 설명은 이해하기가 좋았습니다.
그래서 저는 블로그를 통해 공부하는 시간을 갖기로 했답니다.ㅋ
메세나님의 블로그는 많은 블로거들의 호기심 유발인자가 된 거 같은데요. ㅎㅎ

이번에 <서양 미술사>를 출간하게 되셨다니 제 마음이 설레이고 뿌듯합니다.
메세나님의 열정은 이제 시작이 아닌가 싶습니다.
출간을 진심으로 축하드리며 사랑과 격려와 다함없는 응원을 보냅니다.♡

(ninna3712믹 님)

서양미술사 책 출간 축하드립니다.
역시 멋지시네요.

추진력 하나는 끝내주신다니
기대가 됩니다.

아트메세나님 늘 응원합니다.　　　　　　　　(봄의 전령사 님)

자가 출판으로 책 출판 하시는군요! 정말 멋지세요~
　　　　　　　　　　　　　　　　　　(상세한편의점 님)

세나쌤 축하드려요 역시 추진력 짱이십니다! 워낙 미술에 관심이
많아서 쌤 블로그는 저에게 즐거운 놀이터 같은 곳이랍니다. 현
장 도슨트 선생님들께 여쭤보지 못했던 궁금한 점들 블로그 통해서
묻고 배우고 정말 이렇게 알찰 수가 없지요♥ 책도 꼭 소장하고 열심
히 들여다볼께요.　　　　　　　　　　　(이상한엄마쌤 님)

와웅 정말 대단하세요~ ㅎ 곰브리치 미술사 책도 여러 번 빌려와서
항상 완독하지 못하고 반납하고, 인강도 듣다가 다 못 듣고 포기 ㅋ
ㅋ 항상 관심을 가지고 있는 주제랍니다 ㅎ 언니 분 간호로 넘
힘드셨을 텐데 언제 또 이리 준비하셨는지요. ㅎ 넘 수고 많으셨고
츄카츄카드려요~~ ^^　　　　　　　　　　(아트보이 님)

여신메세나님♡
와!!!!!! 드뎌 기다리던 메세나님 책 출간하시는군요!!!
덕질하는 가수의 앨범 소식 때만 큼 벅차오릅니다. 메세나님♡
♡♡
메세나님이 말아주시는 서양미술사 책으로 박제해주셔서 감사해요
서양미술사 속 제가 원픽 했던 그림들 떠오르네요!

메세나님 바쁘신 일정 속에서도
건강 꼭 챙기셔야해요 꼭이요♡

<메세나님이 말아주시는 서양 미술사는
마음에 박제되는 힘이 있다 /책결생각♡>

여신메세나님의 책출간 축하드려요♡   (책읽는Girl 님)

아트메세나님 정말 축하드리고 대단하십니다. 추진력 저도 배우고 싶
네요. 누구보다 친절하고 섬세한 아트메세나님의 서양미술사 많
이 기대가 됩니다. 미술과 친해지고 싶은 많은 분들에게 아름다운
메시지가 되길 기원드려요.   (북레터 님)

아트 메세나님~ 책 출간 축하드려요.
항상 재미있고 쉽게 서양 미술에 대한 이야기들을 올려주셔서
잘 보고 있어요.
일반적으로 잘 모르는 그림들도 많이 소개해 주셔서 정말 좋았답니다.
^^   (달콤블루 님)

님!! 드디어 책을 내시는군요! 제가 블로그를 하며 가장 큰 기쁨중 하나가 님을 알게 된거랍니다.

카스파 다비드 프리드리히가 왜 독일을 대표하는 낭만주의 화가인지 님을 통해 알게 되었어요.
저는 낭만주의는 로맨틱한건가? 그림에 사람도 없는데 어떻게 로맨틱한거지? 라며 궁금했었는데 그것을 단번에 알려주신 좋은 선생님이시죠!!
저같이 잘 모르는 초보들에게 너무 재미있게 쉽게 그림과 화가들을 설명해 주셔서 저에게 님의 블로그는 보석이랍니다.
님 책 내시면 몇권 사서 제가 좋아하는 분들에게 선물할게요!!
그리고 자랑도 많이 하구요!!!
님 너무너무 기대됩니다!! 파이팅!!   (소피아 님)

앗! 출간 파이팅입니다!
우리 처음 이야기할 때
"이 포스팅 얼마나 걸리신거예요" ㅠㅠ
하며 한 눈에 정성을 알아봤지요.
미술은 감히 영혼을 치유하는 분야라고 믿어 의심치 않습니다~
그간의 결실이 책으로 나온다니 정말 멋지세요♡
멋진 세나님^^
다시 한 번 축하드립니다.   (소소 님)

와~^^ 축하드려요
서양미술사 책 출간하신다니 너무 멋지셔요.
응원합니다.   (소일소행 님)

세나님 서양미술사 책 출간 축하드립니다.^^
드디어 기다렸던 책이 출간되는 건가요. ㅎㅎ
르네상스부터 고흐까지. 세나님만의 따뜻하면서, 깔끔한 설명이 기대가됩니다.

서양미술사를 사랑하는 저로서는 너무나 기다렸던 순간입니다.
덕분에 좋은 책 읽고 저도 한 뼘 더 성장하도록 하겠습니다.

(아론의책 님)

 댓글들 보니 아트메세나님 곁에는 정말 좋은 이웃분들이 많으시네요.
비슷한 가치를 추구하고, 서로의 성장을 돕고,
블로그를 비워도 언제나 함께하는 이웃들...
어느덧 쌓인 신뢰를 바탕으로 진심으로 응원하며
서로를 알아봐주는 이웃들..
저도 그런 이웃 중 1명입니다.

서양미술사 책 발간. 정말 정말 축하합니다.
일반인들에게 잘 알려지지 않은 평소 접해보지 못했던 재미있는 이야기들을 얼마나 잘 정리하셨을까요???
지금껏 모든 일에 열정을 다해 정말 성실하게 살아오셨을 거라고 생각하기에, 이번 책 또한 얼마나 알차게 꾸며졌을지 정말 기대가 됩니다.!!!

아트메세나님의 도전에 진심으로 응원하고
언제나 모든 일이 정말 잘 되기를 기도합니다.
들숨에 응원과 격려를! 날숨에 행복과 긍정의 기운을!!
마구마구 불어넣어 주시는 아트메세나님의 선한 마음이 불러오는 선순환!!! 아트메세나님의 선한 영향력이 계속 계속 펼쳐지기를....

(공인중개사 박현옥 님)

작가와 작품을 따듯한 사선으로 바라보시고
디테일한 정보와 함께 폭넓은 시대적 지식을 바탕으로
재미있고 쉽지만 전문적인 도슨트 책이 출간되겠네요.
미술 전문가와 뿐만 아니라 저 같은 초보 미술 애호가 모두에
게 즐거운 아트메세나님의 서양미술사 책이겠네요!
책 출간 축하드리고 베스트셀러 될 것을 믿어 의심치 않습니다. 저도
꼭 소장하겠습니다!   (스펀지 님)

진짜요~~??!!대박~~!!
책 내신다니~~ 정말 축하드립니다~~♡
한 번씩 서양미술사 포스팅보다가 집중력이 떨어지는
위기도 있었지만 덕분에 틀에만 박혀있던
지식이 조금 늘어난 거 같아서 항상 감사했어요~
머리에서는 또 지워지겠지만~
책 출간도 기대해봅니다~~   (마니모자란망내이모 님)

역시 ㅎㅎ 책 출간하실 거라 생각했어요! 전문가이시니 더더욱
멋진 책이 나올 듯해요:) 저도 요새 바빠서 댓글 확인이 늦어서 이
벤트는 이제야 봤네요 ㅠㅠ 응원합니다 메세나님!!   (윤사서 님)

와우~~ 멋지세요!!
책 출간 축하드립니다!!!!   (성공의 숲 님)

책 출간을 진심으로 축하드립니다.

(소박한글쟁이 님)

미술에 대해 열공중 입니다.

(아트컬렉터 SSIC 님)

책 출간 축하드려요!!

(또밍 님)

아트메세나님 정말 축하드려요!! 넘 멋지셔요 ^^ 응원합니다 ~~!

(주식회사 더리우 님)

너무 축하할 소식이네요!! 항상 아트메세나님 블로그 보면서 그동안 몰랐었던 미술사에 대해서 알게되어 즐거웠습니다! 이제는 그 즐거움을 책에서도 느낄 수 있게 되는거군요!

(연세베스트병원 님)

워낙 전문가이신 건 알았지만 그래도 이렇게 책을 빨리 출간하시다니!! 대단하세요.
페이지수와 그림도 어마어마해요. 일반 책의 레벨이 아닙니다 ㅠㅠ
체력적으로도 많이 힘드셨을 텐데 세나님의 열정에 박수를 보내요.

(에이미 Amy 님)

블로그
아트메세나

유튜브
아트메세나

감사합니다.

하나님 아버지 감사합니다.

늘 든든하게 지켜주는 소중한 가족 감사합니다.

한 결 같이 응원하는 친구들 감사합니다.

무엇보다 책 출간에 큰 동기부여와 힘이 되어준

블로그 이웃님들 진심으로 감사합니다.

이 책을 보는 모든 분들 사랑합니다.